组伯瑞国际大奖小说集

Gay

The Story of a Pigeon

彩虹鸽

[美]达恩·葛帕·穆克奇/著　　李宏声/译

山东科学技术出版社

·济南·

图书在版编目（CIP）数据

彩虹鸽 / (美) 达恩·葛帕·穆克奇著；李宏声译 .
-- 济南：山东科学技术出版社，2018.3（2024.5 重印）
（纽伯瑞国际大奖小说集）
ISBN 978-7-5331-9160-3

Ⅰ．①彩…　Ⅱ．①达…　②李…　Ⅲ．①儿童小说－长篇小说－美国－现代　Ⅳ．① I712.84

中国版本图书馆 CIP 数据核字 (2017) 第 300019 号

纽伯瑞国际大奖小说集
彩虹鸽
NIUBORUI GUOJI DAJIANG XIAOSHUO JI
CAIHONGGE

责任编辑：董小眉　张洋洋
装帧设计：艺唐广告

主管单位：山东出版传媒股份有限公司
出 版 者：山东科学技术出版社
地址：济南市市中区舜耕路 517 号
邮编：250003　电话：（0531）82098088
网址：www.lkj.com.cn
电子邮件：sdkj@sdcbcm.com
发 行 者：山东科学技术出版社
地址：济南市市中区舜耕路 517 号
邮编：250003　电话：（0531）82098067
印 刷 者：湖北鑫光印务股份有限公司
地址：湖北省云梦经济开发区三湖大道 13 号
邮编：430070　电话：（0712）4084888

规格： 16 开（155 mm × 220 mm）
印张： 10　**字数：** 200 千
版次： 2018 年 3 月第 1 版　**印次：** 2024 年 5 月第 3 次印刷
定价： 19.80 元

前　言

纽伯瑞儿童文学奖简称纽伯瑞奖，该奖项是由美国儿童图书馆服务协会（Association for Library Service to Children ，ALSC）为纪念英国儿童文学作家和出版家——纽伯瑞而设立的。

纽伯瑞出生于1713年，他出版了世界上第一本儿童书——《美丽小书》，开办了世界上第一家专门的儿童图书印刷厂、世界上第一家专门的儿童书店。他出版发行的儿童文学书籍深受孩子们的喜欢，他由此开辟出了一条英美儿童文学之路，因此后世称之为“儿童文学之父”。

以纽伯瑞命名的纽伯瑞奖，1922年创办，每年评选和颁发一次，奖励前一个年度出版的优秀英语儿童文学作品，一直延续至今。纽伯瑞奖历史悠久，对美国乃至世界的儿童文学都影响深远。该奖项获奖要求之严格，获奖作品水准之高超，均是有目共睹、众所周知的。纽伯瑞奖获奖作品题材广博，不仅针对儿童的各种心理，诸如恐惧、忧愁、悲伤等做出开解，还蕴含了对全人类和大自然悲天悯人的关怀。因此历年来获得纽伯瑞奖的优秀作品，被每个美国家庭收藏，成为每个美国青少年的必读书目。

正因为纽伯瑞奖的权威性和经典性，我们特从获奖作品中选取了八本历年来畅销不衰、深受小读者们喜爱的作品，旨在帮助更多的青少年阅读到经典的优秀儿童文学作品，从中感悟到人性的光芒和力量。

该八本经典文学作品分别是《彩虹鸽》《牧牛小马斯摩奇》《胡桃木小姐》《草原上的小木屋》《吹号手的诺言》《杜立德医生航海记》《木头娃娃历险记》和《兔子坡》。

其中，《彩虹鸽》讲述了一只脖颈处有着彩虹一样绚丽颜色的鸽子充满传奇的一生，处处流露出作者对生命和大自然的关爱；《牧牛小马斯摩奇》则讲述了一匹名叫斯摩奇的野马跌宕起伏的一生，从性格开朗到暴虐，之后变得逆来顺受，最后再次被主人的关爱激活，重新找回快乐，该书悬念迭出的故事情节定会让青少年爱不释手；《杜立德医生航海记》讲述了精通动物语言的杜立德医生传奇的航海故事，该书想象力丰富，故事情节跌宕起伏，一直备受青少年喜爱……

该八本书每一本都精彩纷呈，不再一一赘述。期待小读者们能自己拿起这套书，亲自去发现里面的丰富和传奇；也盼望着这套书能成为小读者们人生路上的启发者，帮助小读者们拥有向上和向善的力量！

目录

第一部　奇鸽之旅

第二部　鸽王传奇

第一部 奇鸽之旅

第一章
鸽城美鸽

在拥有一百万人口的加尔各答城里，生活着至少两百万只鸽子，这让加尔各答人最引以为荣了。

那么，也就是说平均每三个印度男孩中就有一个养着鸽子。鸽子种类繁多，有信鸽、筋斗鸽、扇尾鸽、凸胸鸽等，他们一养就是十多只。

驯养鸽子的艺术在印度已有几千年的历史了，扇尾鸽和凸胸鸽就是驯鸽人培育出的奇异品种。几百年来，不论是王公贵族，还是平民百姓，对鸽子都十分宠爱，在花园、喷泉、果园等处都有鸽子的身影。

直到今天，在每一个冬日的早晨，来加尔各答的外地人都能看到这样的景致——很多小男孩站在平屋房顶上舞动着小白旗，向那些在冷风中飞翔的鸽子发信号。鸽群飞过蓝天，像一片巨云。

那些鸽子三五成群地在主人家的房顶盘旋十几分钟后，就慢慢高飞了，从不同方向汇拢成一片，逐渐飞离了人们的视线。它们是怎样飞回自己家里的？这个问题确实很神奇。所有的屋顶几乎相似，只是颜色不同罢了。

鸽子有着高超的辨识方向的能力，还有对主人的忠诚。我还真的没见过比鸽子与大象更忠诚的动物。我和这两种动物都有过交往，不管它们游荡多远，总能凭着精确的直觉回到主人的身边。

我的大象叫开瑞，我的鸽子叫奇特拉·格瑞瓦，“奇特拉”是“色彩灿烂”的意思，而“格瑞瓦”的含义是“脖子”，合起来就是“彩脖鸽”。由于鸽子的颈羽像彩虹，也可以叫它“彩虹鸽”。

不过，彩虹鸽并不是一生下来就长着彩色的脖子，它的羽毛是一天天地逐渐长成的。

不到三个月，它那灿烂的脖圈是长不出来的。终于，它成了我所在的城市里最美的鸽子，要知道，城里的鸽子有四万多只呢！

要讲这个故事，我得先从彩虹鸽的父母说起。彩虹鸽之父是筋斗鸽，其母是拥有古老贵族血统的信鸽，有“大

美女”之称。以后的事实证明，彩虹鸽确实继承了它母亲的高贵血统，无论是在战争年代还是和平年代，它都是一只优秀的信鸽。

它继承了母亲的聪明智慧、父亲的勇敢灵敏。在最后的关键时刻，彩虹鸽总会展现出翻飞腾跃的本领，躲避老鹰的魔爪，掠过敌人的头顶。有关这部分的精彩内容，我会在后面适当的时候详细叙述。

彩虹鸽还没破壳的时候，就遇到了一次大灾难。我永远忘不了那一天，因为都是我的过错！鸽妈妈生下的两枚蛋被我给打碎了一枚，我真是笨极了！直到今天，我仍然后悔不已，没准儿那枚被打碎的鸽蛋还可以孵出世界上最棒的鸽子来呢！

这件事情的经过是这样的：我们住在一幢四层小楼里，楼顶盖的是鸽房。鸽妈妈生蛋的几天后，我准备打扫一下鸽房。

那时它正在窝里孵蛋，我就把它轻轻托起，放在旁边的房顶上。接着我小心地把蛋搬到隔壁的鸽子窝里。可是不巧，那个窝里没有铺棉花和绒布，只是硬硬的木板。

我开始清理鸽妈妈孵蛋的窝，把里面打扫干净。收拾好了以后，我又把一枚蛋搬回原处，再接着去拿第二枚蛋。我轻柔地拿起那枚蛋，突然有个东西劈头盖脸地向我猛扑过来。

原来，是鸽爸爸在用它的翅膀猛烈地扑打我的脸，更糟糕的是，它的爪子已抓到了我的鼻子。在疼痛和惊恐中，我手里的蛋跌落在了地上。

我生气地用力把这家伙赶跑，可是太晚了，那枚小小的蛋已在我脚下摔成了碎片。这只蠢笨的公鸽，太让我生气了！

我也对自己感到不满，我应该事先预料到公鸽会来袭击我的。

它一定是把我当成了一个偷蛋贼啦，才会傻乎乎地拼命攻击我，不让我去抢劫它的蛋宝宝。

鸽妈妈是最清楚到什么时候才可以用又尖又硬的嘴巴把蛋壳啄开，把小彩虹鸽带到这个世界上来的。

虽然有三分之一的时间是由鸽爸爸孵蛋，可是它并不清楚小宝宝是在什么时候应该出壳，只有鸽妈妈才可以准确地判断出那神圣时刻。

我们到现在也无法弄清楚鸽妈妈是怎么做到的。难道是蛋壳里的小宝宝会向它发出一种特殊的无线电波，告诉它蛋里面的蛋黄和蛋清已变成了小鸽子？

除了这个外，鸽妈妈还有一项非常神奇的本领——它会选择最恰当的位置来啄破蛋壳，不让即将出壳的小家伙受到一点点儿伤害。

对我来说，这简直就是一个奇迹！

彩虹鸽的出生也证实了事实确实是这样。到了第二十天的时候，我发现鸽妈妈不再趴在蛋上了，而且它还不让鸽爸爸趴在蛋上。

每次鸽爸爸从屋顶上飞下来，鸽妈妈都会用嘴去啄它，把它赶走。鸽爸爸此时会非常不满地尖声鸣叫，似乎在说："你为什么要把我赶走呢?!"

可是鸽妈妈依旧使劲地啄着鸽爸爸，似乎在说："快走开吧，不要打扰我的正事！"鸽爸爸没有办法，只能听话地走开了。

这件事却让我很担心，我可是盼望着鸽蛋快点儿孵出来呢，鸽妈妈的行为让我疑惑不解。

好奇心促使我靠近了鸽子窝，我认真仔细地去观察。一个小时过去了，一点儿动静也没有。又过了四十五分钟，鸽妈妈把头转向一边，专注地倾听着什么声音——也许是蛋里面发出的声响吧。

鸽妈妈突然颤抖了一下，然后它的身体开始不停地震颤着，连我都感觉到它似乎已做出了一个重大的决定。它抬起头，选准了目标，只三两下就把蛋壳啄开了。

一个小家伙出现在我们的面前，一个长着尖嘴巴、全身在发抖的小东西！

再看鸽妈妈，它有点儿惊讶了，这就是它期待了那么长时间的小宝宝吗？

哦，这个柔弱的小家伙！鸽妈妈立即把它搂入怀中，用胸前柔软的羽毛把小宝贝紧紧地遮盖好。

第二章

初次飞翔

在鸟类的世界里，有两个使人感到格外温馨幸福的场景：一个是鸟妈妈啄开了蛋壳，把新的生命带到世界的那一瞬间；另一个就是它们哺育雏鸟时的感人场景。

彩虹鸽得到了父母最深情的抚育，就像人类的孩子备受父母呵护一样。

与食物一样，父母给予的温暖和快乐也是孩子生活中的必需品。

在这个时期，鸽窝里不适合塞太多的棉花和绒布，里面的东西越少越好，这样才可以避免鸽窝的温度过高。很多养鸽人并没有意识到，随着小鸽子越长越大，它自身会散发出越来越高的热量。

在此期间也不要频繁地打扫鸽窝，要尽可能地维持着鸽子夫妇对房间的布置，要知道，它们所做的一切都是为了让宝宝过得更舒适、更愉快。

我至今记忆犹新，从鸽宝宝出生后的第二天开始，每当它的父母飞回家时，它都会张大了像风箱一样大的嘴巴，耸起身子要食吃。

这时候，鸽爸爸和鸽妈妈就会把嘴巴伸进孩子的喉咙，把一种乳状物喂进去。

这种鸽乳是由它们吞食的谷粒消解转化而成的。我发现喂进孩子嘴巴的食物已被磨得又软又烂。即使鸽宝宝已满月，也没有哪对父母会把未经加工过的谷粒喂给它吃。鸽爸爸和鸽妈妈总是先把食物进行软化，然后再喂入宝宝娇嫩的肠胃中。

这只彩虹鸽的食量真是大得惊人，它的父母有着明确的分工：一个忙着给它找食物，另一个负责看护它。

鸽爸爸在照顾孩子的这件事情上，比起鸽妈妈来可没有少花费力气，所以这个小家伙越长越胖也就一点儿不奇怪了。

小彩虹鸽的身体渐渐从肉粉色变成了黄白色，这是它的羽毛就要长出来的信号。时间不长，小家伙的身上开始长出了许多尖尖的白羽毛，圆圆的，硬硬的，就像豪猪身上的刺儿。它的嘴巴和眼睛周围的黄斑也开始褪去了。渐渐地它的喙也长出来了，又硬又尖又长。

彩虹鸽长到五个星期大时，它已能够跳出鸽窝，到离窝不远的盘子旁边饮水了。

虽然它每天都在努力地想要独立自主，但是它还得继续依靠父母的照顾和喂养。

它会蹲在我的手腕上，啄食我掌中的谷粒，这时，它会玩起杂技演员抛球的把戏，让谷粒在喉咙里转上两三次才吞下肚。

每次它都会转过头看着我的眼睛，好像在说："我做得漂亮吗？等我爸妈从房顶上晒太阳回来的时候，你一定得告诉他们我有多么的聪明。"

可是事实上，彩虹鸽在我养的鸽子里面，是成长最缓慢的一只了。

以前，我对鸽子能在沙尘暴天气中飞行而不迷路的现象很不明白；后来，通过观察渐渐长大的彩虹鸽后，我才有所领悟。

有一天，我突然发现彩虹鸽的眼睛里蒙上了一层薄膜，还以为它失明了。

我很慌张地伸出手想把它抓过来好好查看一下，可我还没做出动作，这个小家伙就睁开了它金色的眼睛，退到了鸽窝的里面。

可是我还是抓住了它，把它带到了房顶。在五月暴热的阳光下面，我认真仔细地查看它的眼睑。

哦，我知道了，它的眼睛里有一层像纸一样薄的膜，这层膜紧紧地贴在眼睑上。每当我把它的脸对着太阳的时候，这层薄膜就会从眼睑上垂下来。原来，正是在这层薄膜的保护下，鸽子才会在沙尘暴天气中顺利飞行，也才敢直对着阳光。

两个星期后，彩虹鸽开始学习飞行了。

人类的孩子再喜欢水，在学习游泳的时候也一样得呛几口水，也需要犯不少的差错才能学会。

我的彩虹鸽也一样，开始的时候，它有点儿不相信自己，不敢张开翅膀。

它长时间地站在房顶上，呼呼的风一阵阵地吹过来，却一点儿也不能把这个小家伙推到天上，让它扇动翅膀飞翔。为了让你有切身的体会，我必须向你描述一下我家的屋顶。为了安全着想，我在屋顶上面筑起了一圈坚硬的水泥围栏，大约有十四岁男孩那么高。即使在夏天，有人在房顶上梦游，这圈防护栏也可以保护他不会跌落下去——夏天我们大都是睡在房顶上的。

每天我都会把彩虹鸽放在防护栏上，它就迎着风站在上面，很长时间就那样一直站着。

有一天，我在房顶上撒了些花生米，召唤它跳下来吃。它犹豫不定地盯着我看了一会儿，然后把眼光从我身上移开，低着头看着下面的花生米。

最后，它确定我不会把这些好吃的东西送到它嘴边的时候，就开始在防护栏上踱来踱去，不时伸长着脖子看着那些离它不到一米远的花生米。

经过十五分钟复杂的心理斗争，它终于跳了下来。就在双脚落地的一瞬间，为了保持平衡，它那双紧紧并拢的翅膀终于像船帆一样张了开来。这是一次多么伟大的胜利呀！

也就是在那个时刻，我注意到彩虹鸽的羽毛颜色也在悄悄地改变着，已不再是原来那种灰不灰蓝不蓝的颜色了，代替它的是光滑的碧绿色。就在某一天清晨，它的脖子在阳光照耀下突然闪烁出彩虹一样的颜色，就好像戴上了一串七彩的珍珠！

再接下来，就是要进行飞行这一项最重要的课程了，我在等待着它的父母给它上第一课。

每天我都会让它落在我的手腕上，等它待上几分钟后，我开始像扇动翅膀一样，上下无数次地挥动自己的手臂。我的目的就是让它练习平衡的能力。为了站稳，它必须不停地张开和并拢双翅。

这样做对它很有好处，可是我能教给它的也就这些了。你可能会问我为什么这么着急？那是因为在飞行课程上，它起步本来就晚，再加上六月的雨季就要到了，那时就不可能进行长途飞行了，我希望能尽快地训练它学会辨识方向的本领。

就在五月底的某一天，鸽爸爸终于开始履行它的职责。前些日子一直刮着的北风和清冷的天气突然结束了，天空清澈透明，就像蓝宝石一样，就连远处的房顶、田野和凉亭都能清晰地看到，似乎全都是为了这特别的一天的到来而准备的。

大约下午三点，彩虹鸽站在护栏上晒着太阳。正在天空中飞翔的鸽爸爸飞落下来，停在了彩虹鸽的身边。

它怪异地看了儿子一眼，好像在说："你这个懒家伙，就要三个月大了，还不敢去飞，你究竟是一只鸽子还是一条蚯蚓?!"

自尊心很强的彩虹鸽沉默不语，鸽爸爸被惹得恼怒了，咕咕地叫了起来，用鸽子特有的语言斥责着彩虹鸽。彩虹鸽可不爱听爸爸絮絮叨叨地说个不停，它从爸爸身边移开了。

鸽爸爸紧随它的身后跟了过去，继续咕噜咕噜地叫着，并且还拍打着翅膀。

彩虹鸽一次又一次地从爸爸身边移开，可是鸽爸爸并不放弃，它加强了攻势，追着小家伙继续絮叨个不停。到最后，鸽爸爸把彩虹鸽逼到了护栏的边缘，只给它留下了一个选择，那就是马上飞离房顶。

突然，鸽爸爸用尽全身力气把彩虹鸽推了下去。然而还没掉下去十五厘米，彩虹鸽的翅膀就展开了，它真的飞起来啦！

这是多么令人激动的时刻啊！鸽妈妈本来是在楼下的水池里进行午间梳洗的，一看到这种情形，就马上从楼梯上飞了上来，陪在儿子的身边。它们在屋顶上空盘旋了至少有十分钟才飞落下来。

鸽妈妈轻松地收起了翅膀，平稳地降落到地面。可它的儿子就没那么幸运了——彩虹鸽十分惊恐慌张，不知怎么办才好，全身颤抖着，爪子小心地抠住地面，扑扇着翅膀往前滑行着。

当胸口马上就要撞到墙壁的时候，它总算停住了，就像我们收拢起扇子一样，彩虹鸽“哗”地收拢了双翅。它激动地喘息着，鸽妈妈过来抚摸着它，把它搂在怀中，好像它还是那个渴望父母来保护的小宝宝。鸽爸爸看到自己的任务已圆满地完成了，就心满意足地下楼去洗澡了。

就像每一个刚学成的潜水员一样，彩虹鸽飞起来之后最先要克服的困难，就是俯冲下去的那种恐惧感。它已渐渐开始尝试着更高和更远的飞行了，在一个星期后，它已能在空中平稳飞行大约半个小时了。

当它飞落在房顶的鸽窝前时，动作也变得和它的父母一样潇洒优雅，再没出现过紧张抓地和胡乱扑扇翅膀的情形了。

刚开始的几次飞行中，彩虹鸽的父母总是陪伴在它的左右，现在，它们已逐渐地把它落在身后，或者飞翔在它的上空。

起先我以为它们是想催促它飞得更高一点儿，因为彩虹鸽也在试图达到父母飞行的高度。也许它的父母是在为它树立更好的榜样吧。可是后来，在六月里的一天，发生了一件很重要的事，使我的想法有所改变。

那天彩虹鸽飞得很高，仰头望去，它的身子只有平时的一半大，它的父母盘旋于它的上空，看上去只有人的拳头一样大小。

鸽爸爸和鸽妈妈就像旋转木马那样有规律地不停盘旋着。它们这是干什么？这也实在太无聊了！我把视线从它们的身上转移开。说实在的，总是紧紧地盯着天空看，时间长了会让眼睛很不舒服的。

就在我的眼光要转移的时候，一团黑影猛地向我的鸽子冲了过来，那影子迅速地变得越来越大。

我不知道那是什么鸟儿，能够飞得这么笔直，并且是这么迅速猛烈。在印度，“鸟儿”这个词可是个复杂的梵语，意思是“飞曲线的”。

这个家伙像箭一样笔直地飞过来，很快我就明白了，那是一只游隼啊！

奇迹马上就要出现了：为了下降到小彩虹鸽的位置，鸽爸爸有规律地往下翻飞着，而鸽妈妈也屈身向下飞着，形成了一条迅速下降的曲线。此时，那只可怕的游隼距离毫无察觉的彩虹鸽已不到十米远了。不过，它的父母在它的两侧早已加强戒备了。

紧接着，三只鸽子选准了方向，开始急速地下降，从敌人的魔爪中突围了出来。可是游隼并没有放弃，它开始准备第二次攻击了。

突然，三只鸽子俯冲下来，这次行动再次击败了游隼。游隼由于用力太猛，反而把自己弹出了好远，现在它已离三只鸽子的距离越来越远了。

鸽子们继续螺旋式地下降着，再过一会儿它们就可以到达屋顶的家了。

不过游隼改变了招数，奋力地向高处飞去。事实上，它飞得越高，鸽子们就越无法听到它的翅膀在风中发出的呼啸声。

游隼高高地盘旋在鸽子的上空，把自己隐藏在鸽子的视线之外。

鸽子们开始放松了警惕，它们的飞行速度明显比开始时慢了好多。

突然间，我看到了高处的那个家伙收起翅膀，要准备下降。就在那个瞬间，游隼就像大石头一样垂直坠落去攻击鸽子。

我的心往下一沉，急忙把手指放在嘴里，向鸽子们吹响了尖锐的口哨，发出了警报。

鸽子们就像离弦的箭一样俯冲下来，游隼紧跟在它们身后。

时间分分秒秒地过去了，游隼逼近了它们。游隼下坠的速度越来越快，和猎物之间的距离只相差五六米远了。

很显然，小彩虹鸽正是它锁定的目标，游隼那可怕的魔爪已清晰可见了。可是这些傻瓜怎么还不反抗呢？我又气又急地想。游隼离小家伙已那么近了，鸽子们还能那样不动声色。

但就在那个关键时刻，它们突然开始盘旋上升了。游隼依然紧咬住它们不放。

接着鸽子们在水平方向沿着一个很大的椭圆形轨迹飞了起来。

如果鸟类以圆圈形式飞行的话，它们要么是想靠近圆心，要么是想远离圆心。游隼没了主意，最后就向圆心飞去，在鸽子们形成的大圆圈里绕着小圈飞。

没等游隼转身，三只鸽子再次俯冲，眼看就要贴近房顶了，可是那个坏家伙没有死心，它紧跟着它们，好像一道黑色的闪电。而它的猎物们划过一条优美的曲线之后，就稳稳地降落在了房顶上。

它们安全了，我张开双臂迎接它们归来！

那一刻，我听到了风中传来尖锐的鸣叫，游隼在离我三十厘米高的空中盘旋，眼里燃烧着怒火，爪子就像毒蛇的芯子一样不停地颤抖着。

当它从我身边掠过时，我可以听到它的翅膀在风中所发出的呼啸声。

这件惊险的事情过后，我开始训练彩虹鸽的方向感。

有一天，我把三只鸽子装在鸽笼里，来到城市的东边。上午九点钟的时候，我把它们放飞在空中，它们安全地飞回了家。

第二天我又把它们带到城西放飞——与前一天是一样的距离。

一个星期后，我在半径二十五千米以内放飞它们，它们都能安全地返回。

要知道，这世上的事不可能都那么一帆风顺的，彩虹鸽的训练工作也遇到了阻碍。有一次，我带着它们，坐船在恒河上航行。

我应该事先预料到水上的天气是变化多端的，即使是艳阳高照，也会突然变成暴风骤雨。可我那时到底还是一个小孩儿，对于六月奇怪多变的天气了解得非常少。

我们刚航行了三十多千米远，第一片雨云就涌现了出来，一阵急风把我们的一片船帆撕碎了。

现在到了不能再耽搁工夫的时刻了，我赶紧打开鸽笼放飞了鸽子。在狂风的阻力下，它们俯身低飞，差点儿落进水里。

它们贴着水面飞行了大约十五分钟。在暴风中飞行十分困难，可是它们非常执着。又过了十分钟，我看到它们稳住身形向着陆地的方向飞去。就在它们到达河左岸那片村庄的时候，天空被黑暗笼罩，下起了倾盆大雨。

我还能不能找回我的鸽子呢？我感到希望十分渺茫。我们的船差点儿就要沉了，万幸的是后来船搁浅在了村子边的河滩上。

第二天早晨，当我坐火车回到家的时候，鸽子们早已回来了，可惜只剩下了两只。鸽爸爸在暴风雨中遇难了，这要怪我啊！

在接下来的许多天里，我们全家都沉浸在悲伤的氛围中。每当雨停的时候，我和两只鸽子都会习惯性地来到屋顶上，在天空中搜寻着鸽爸爸的身影。我们真的好希望它能再次出现啊，可惜它再也不能回来了。

第三章

飞越高山

由于平原上阴雨连绵，酷热难耐，我父母决定带着我们去喜马拉雅山脉。

打开印度的地图，你可以看到在东北角有个名叫大吉岭的小镇，就在它的对面，高高地耸立着世界最高峰——珠穆朗玛峰。

经过几天的跋涉，我们一家人和两只鸽子乘坐着大篷车从大吉岭到达了丹忒牡村。

这个村庄的海拔高达三千米。这样的高度，如果换成美洲的山脉或是阿尔卑斯山脉的话，山顶上一定会有积雪的。可是在印度这样典型的热带气候之下，喜马拉雅山这一高度处根本没有积雪。

它位于北纬三十度左右。海拔三千米之下根本不可能存有积雪。

在山脉的丘陵地带，生活着许多野生动物。不过只要过了九月，这里就会变得十分寒冷，到那时，生活在这里的居民和动物都会向南迁徙。

让我带你浏览一下这里的迷人景色吧：从我们用石头、泥巴砌成的房子俯瞰下去，是一片小山谷，那里种满了茶树。

远处是雄伟陡峭的群山，在山脊之间，散布着许多稻田、玉米地和果园。

更远处，是覆盖着常绿植物的悬崖峭壁，上面耸立着数千米高的皑皑雪山——干城章嘉峰、马卡鲁峰和珠穆朗玛峰。当晨光刚刚出现的时候，群山是白茫茫的一片，可是随着太阳逐渐地升高，天空也逐渐变得明朗了，一座接着一座的山峰就会随之突现出清晰的轮廓。高高的雪峰直插云霄，阳光把山峰染红了，就像是它送给群山的红色的祝福。

总体来说，喜马拉雅山最适宜的观景时间是早晨，因为其他的时间它始终被云雾笼罩着。

印度人每天都会早早起床，朝着圣山向神灵虔诚祈祷。

对祈祷的人来说，还有哪里的山能比得上这些圣山呢？这些山峰还没有被人类征服和践踏过，在他们的心中显得无比圣洁，被尊奉为神性的永恒象征。

在他们心目中，像珠穆朗玛峰这样的高山代表着最崇高的存在——神灵。

神灵的神秘感也在这些高山上得以充分体现。除了早晨，山峰整日都被云雾笼罩着。

到了七月，雨季来临，这时就没有机会天天欣赏到珠穆朗玛峰清晨的美景了。所有的山峰都会陷入暴风雪的统治之中。尽管山间狂风呼啸，雪花飞舞，有时却能清晰地看见被坚冰覆盖的山尖，就像喷发白色火焰的火炬。山峰在阳光下闪闪发光，而山脚处是漫天的飞雪。

避暑期间，我的朋友雷佳和老师老刚德来看望我们。雷佳十六岁，已是一位婆罗门祭司，而老刚德是讲授丛林知识的老师，之所以称呼他“老”，是因为没有人知道他准确的年龄。

我和雷佳同拜老刚德为师，老刚德可是一个很了不起的猎手，正是在他的指引下，我们才能够顺利地游历了丛林，了解了动物们隐秘的世界。

在丹忒牡村安顿好之后，我就开始训练鸽子们的方向感。

只要天气晴朗，我们就会在上午上山，向隐藏在冬青树和香脂树丛之中的更高的山峰进发。遇到庙宇或者贵族的宅院时，我们会从那些屋子的房顶上放飞鸽子。傍晚时分，当我们返回住处时，彩虹鸽母子早已在家等候了。

整个七月，晴朗的日子加起来不超过六天。但由于有见多识广的老刚德作为向导，再加上雷佳的帮助，在短短的时间里我们就做了远途的旅行。我们拜访了不同的山民，并借住在他们的家中。这些山民举止优雅，大方好客。

当然，我们并没有忘记带上鸽子，虽然有时会把它们关在笼子里，但大多数时间都是揣在袍子里的。我们常常被雨水淋湿，但彩虹鸽母子在我们的精心照料下，可没有被日晒雨淋过。

到了七月底，我们几乎走遍了锡金族的每一座寺院和贵族城堡。

途中，我们经过了一个叫作辛加礼拉的地方，那里有座非常漂亮的小寺院。然后我们前往发路特和几个无名地区，最后到达了鹰的故乡。

光秃秃的花岗岩峭壁环绕在我们周围，岩壁四周长满了冷杉和低矮的松树。在我们的北边，耸立着干城章嘉峰和珠穆朗玛峰。在一处悬崖边上，我们放飞了两只鸽子。

鸽妈妈在前头带路，飞得很高，好让小彩虹鸽看看妈妈能飞多高，技艺是多么高超。

目送着两只鸽子飞远后，我们三个人开始聊了起来，想象它们飞到那么高的地方，会看到什么样的风景。很显然，干城章嘉群山的双峰一定会首先映入它们的眼帘，尽管这两座山峰没有珠穆朗玛峰那么高，可是它们一样圣洁庄严，都是没有被人类践踏过的圣地。

彩虹鸽母子已离开了我们的视线，于是我们三人不再凝望天空，决定动身前往邻近的山崖，去寻找老鹰的巢穴。喜马拉雅鹰的羽毛是棕色的，又透着淡淡的金色。它们的身体是力与美完美结合的典范。这些外表看上去很漂亮的动物却是凶狠的食肉猛禽。

不过，这天下午我们并没有碰见凶猛的成年老鹰，相反，我们在鹰巢里发现了两只毛茸茸的小雏鹰。它们真是迷人，就好像初生的婴儿一样。

南风朝着它们的眼睛直吹，不过它们并不在意。迎风筑巢是喜马拉雅鹰的本能，而其中的原因并不为人所知。但很显然，老鹰喜欢这托起它们飞翔的风，喜欢临风独立。

两个小家伙差不多三个星期大，因为它们身上絮状的胎羽已褪掉了，开始长出真正的羽毛。这个年纪的雏鹰，爪子看上去已足够锋利了，喙也长得又硬又尖。

老鹰的巢穴是露天的，而且很大。鹰巢的入口处，也就是老鹰着陆的平台，大约有两米宽，非常干净。不过巢内可不是这样，里面又黑又窄，好像一个乱糟糟的垃圾场，到处都是树枝和猎物的皮毛，还有雏鹰吃剩下的动物残骸——成年老鹰总体上来说会连毛带肉把猎物整个儿吞下肚的。

尽管悬崖周围只长了一些低矮的松树，不过依旧听得到婉转的鸟鸣，还有从冷杉树上发出的奇怪的虫鸣。宝石一样闪闪发光的昆虫在紫罗兰花丛中扇动着双翅，怒放的杜鹃花好像银盘一样大，时常还传来野猫午睡时发出的呼噜声……

老刚德突然让我们赶快躲进几米外的灌木丛里去。我们刚藏好，周围的喧嚣声就忽然平息下来。

一分钟后，昆虫停止了嗡嗡的鸣叫，小鸟也不再歌唱了，就连大树也静默无声了，好像都在等候什么东西的出现。

这时，空中传来微弱的嗖嗖声，过了一会儿，这声音的调子变得低沉起来，接着就传来了怪异的尖叫声，只见一只巨大的鸟向着鹰巢降落下去，风在它翅膀下呼啸着。根据它的身形，老刚德判断出那正是两只雏鹰的妈妈。

鹰妈妈在空中盘旋，一直等到雏鹰退回巢中。它的爪子紧紧抓着被剥了皮的猎物，好像是只大兔子。它慢慢降落，把猎物丢在了平台上。

我们可以看到它的双翼将近有两米宽。它收拢了双翅，就像人把报纸叠好一样。看到孩子们走来，它赶紧把利爪蜷起，害怕划伤了孩子们娇嫩的身体。

它摇摆着走了过去，像瘸子一样。两个小家伙也跑过来，躲进了妈妈半张开的翅膀里面。不过它们现在最需要的可不是爱抚，而是解决肚子饿的问题。鹰妈妈懂得孩子们的想法，就带领着孩子们奔向食物。

它撕扯下几片兔子肉，剔掉骨头，雏鹰们就开始狼吞虎咽地把肉吞下了肚。

这时，山崖下的昆虫和鸟儿的鸣叫声又恢复了。我们也从藏身处站起身来，准备返回住的地方。我和雷佳求了老刚德好一会儿，他终于答应了，等到雏鹰长大的时候再带我们来这里。

一个月后，我们真的回来了，而且还带来了彩虹鸽母子。我希望小彩虹鸽在第二次飞行中牢牢地记住每个村庄、每座庙宇、每个湖泊和每条河流，认识各种动物。

这次，我们爬到了鹰巢上方大约一百米的地方。

此时，秋天的手指已在轻轻触摸杜鹃花了，让它们的花瓣开始凋零，长长的花茎在风中沙沙作响。许多树的叶子开始枯黄，有种秋天的忧伤在空气中弥漫着。

上午十一点钟左右，我们打开笼子，鸽子立刻飞向蓝宝石似的天空，这天空好像是挂在白色雪峰上的一片蓝帆。

两只鸽子飞了大约半小时后，一只雄隼出现在它们上空。

它靠近了两只鸽子，接着俯冲向它们。幸好，它的猎物非常小心，安全地躲开了它的第一次攻击。彩虹鸽和鸽妈妈迅速朝着树林飞去，就在此时，雄隼的另一个同伙对它们发起了攻击。

这只雌隼像它的丈夫那样，朝两只鸽子扑了过去，不过还是没能得逞。雄隼看到雌隼也失败了，就朝雌隼发出尖利的叫声。雌隼在空中停住，等待时机。

两只鸽子以为已脱离危险，快速地扇动着翅膀，向南边飞去。没想到那两只游隼紧紧尾随，从东西两翼夹击它们。两只游隼一次次扇动着翅膀，渐渐逼近自己的猎物。它们像矛一样向着猎物刺了过去。

彩虹鸽的妈妈突然停止了飞翔，只是悬停在空中。这个动作让游隼愣住了，现在应该怎么办呢？向哪只鸽子扑过去好呢？就在游隼犹豫不定的时候，彩虹鸽抓住机会掉转了方向，快速向高空飞去。

鸽妈妈也采取同样的方法，可惜它已错过了最好的逃跑时机。

游隼向它猛扑过去，鸽妈妈惊慌起来，害怕游隼追捕到自己的孩子。为了保护小彩虹鸽，它竟然向两只游隼直接飞了过去。

顷刻间，两只游隼同时击中了鸽妈妈，掉落的羽毛在天空乱飞！

这一幕可把彩虹鸽吓坏了，为了保护自己，它只好落到最近的悬崖边上。

鸽妈妈的错误判断使自己失去了宝贵的生命，也让它的孩子陷入了更大的危险之中。

我们三人赶紧出发去彩虹鸽栖身的山崖搜寻，这可不是件容易的事。

喜马拉雅山是个处处暗藏危险的地带，巨蟒不知道什么时候就会出现在你的面前，叫人害怕的老虎也常常在这里出没。尽管这样，我的朋友雷佳仍然坚持去寻找彩虹鸽，老刚德赞同他的决定，老刚德说这样也正好可以增长我们的见识。

沿着之前所在的山崖往下走，我们进入了一个峡谷地带。

谷底散落着一些骨头，这些信息告诉我们，前一晚肯定有猛兽在这里享用过晚餐。不过我们一点儿也不怕，因为有老刚德在前面带路，他可是孟加拉装备最精良的猎手啊。接着，我们开始了艰难的跋涉。

下午两点后，我们每人匆匆吃过一把风干的豆子（用水泡软），接着很快就找到了彩虹鸽的藏身之处。

这时，出人意料的事情发生了——我们在那片岩壁上发现了一个鹰巢和两只雏鹰，正是我们上次拜访过的那两个小家伙，它们现在已长大了，羽翼刚刚丰满，正蹲在巢穴前的平台上，而彩虹鸽蜷缩在远处的一个角落里。这真让我们大吃一惊。

刚一靠近，雏鹰就冲上来啄我们。雷佳走在最前头，手离它们最近，大拇指被雏鹰狠狠地啄了一下，皮肤顿时开了口，鲜血冒了出来。

这两只雏鹰正好处在我们和彩虹鸽之间，眼下唯一的办法就是爬到更高的崖壁上，才有机会救回彩虹鸽。离开鹰巢还没有六米远，老刚德就示意我们赶紧躲起来，这种情形和我们第一次来这里时几乎是一样的。

我们迅速躲到了一棵松树下，这时，空中传来轻微的呼啸声，母鹰回来了。

伴随着一阵尖利的叫声，母鹰回到了巢中。当母鹰的尾羽掠过我们藏身的松树，从我头顶飞过时，那迅速沉寂的呼啸声让我全身颤抖，又惊又喜。

有人以为老鹰会把巢穴筑在没有人烟、与世隔绝的悬崖峭壁上，那我得说，这种想法是完全错误的。老鹰是非常凶猛的一种飞禽，在选择巢穴的时候，才不需要小心谨慎呢。

即使是一时的疏忽，它也能承担得起后果。老鹰身形庞大，而这就决定了它在选择巢穴时首先得考虑有足够大的空间，以便张开和收起宽阔的双翅，而这样的地方注定不难攀登。

此外，老鹰根本没什么筑巢的特殊本领，它不过是在山崖边上选择一块底部凹进去的现成的平地，这就是说，筑巢工作大自然已帮它完成了三分之二。接下来的工作，那就是由老鹰自己来衔树枝、铺树叶和堆干草，搭成一张简陋的床，以便在上面产卵和孵蛋。

以上这些细节都是我们趴在树下，远远地观察鹰巢而搜集来的。

很显然，两只小雏鹰和它们的妈妈都是我们的老朋友了，小雏鹰已长得和妈妈一样大了。不过，尽管它们已长大，鹰妈妈依旧习惯性地收起利爪，以免误伤了自己的孩子。

它确认孩子们要奔过来迎接它时，才张开爪子，紧紧扣住脚下的岩石，稳稳站好。

事实上，两只小鹰已不适合再被称为雏鹰了，它们的羽翼早已丰满。

不过，此刻它们还是钻进了妈妈温暖的大翅膀底下依偎了一会儿。很快，两只小鹰就跑出来想找东西吃。与母爱相比较，它们更需要的是食物。哎呀，这次妈妈怎么什么也没带回来！孩子们只好转身离开妈妈，迎风卧在巢穴门口，继续等待着。

老刚德向我们做了个手势，我们三人起身继续向上攀登。一个小时后，我们像壁虎一样没有声响地爬到了鹰巢的上面。一股尸骨腐烂的恶臭向我们袭来。原来，虽然老鹰被称为鸟中之王，可是它的巢远远不及鸽子的窝那么整洁干净。所以，两者比较起来，我肯定更喜欢鸽子的窝。

我们终于能够得着彩虹鸽了，试探着把它放进鸽笼里。彩虹鸽看到我们很高兴，可是它不愿意进鸽笼。眼看天色已晚，我赶忙抓出一把小扁豆喂给它吃。等到它吃到一半的时候，我趁着它低头专心吃东西，就伸出手去想把它抓住，不料这却吓坏了彩虹鸽，它一扇翅膀飞走了。

这可不妙，上面的声响惊动了母鹰，它从巢中探出头来，嘴巴颤动着，翅膀半开着，一副准备随时出发的样子。顿时，丛林中的骚动声停止了，周围一片静默，母鹰起飞了。我心中暗想，彩虹鸽这回要完蛋了。

确实如此，一个巨大的阴影猛地冲向了彩虹鸽，我以为老鹰已发起了攻击。可是，母鹰只是在彩虹鸽的上方停留了片刻就飞远了。

彩虹鸽被眼前的巨大东西给吓坏了，它惊慌得不知怎么办才好，只得歪扭着飞走了，瞬间的工夫，就不见了踪影。

我以为我从此就失去了彩虹鸽，可是老刚德坚持认为，过不了一两天我们肯定能找回彩虹鸽，所以我们决定留在原地，等它回来。

夜幕悄悄地降临了，我们来到一棵松树下过夜。到了第二天早晨，老刚德就预言小雏鹰要第一次试飞了，他说："成年老鹰从来不教孩子学习飞行，它们知道什么时候孩子做好了准备，到了那个时候，鹰的父母就会永远地离开雏鹰，让它们独自生活。"

确实这样，一整天过去了，雏鹰的父母都没有归巢。夜晚来临的时候，孩子们完全放弃了等待。看来妈妈不会再回来了，它们失望地退回巢中。

那真是一个难忘的夜晚，我们的住处很高，不用担心会有肉食动物来攻击。老虎和豹子只在山脚活动，倒不是它们害怕登高，而是因为它们的猎物在山下栖息着——跟着食物走是动物活动的规律。在山谷和茂密的丛林中，生长着丰足的水草和鲜嫩的枝叶，这些都是羚羊、野鹿、水牛和野猪不可缺少的食物。

它们的天敌也追随着它们，等待时机捕食。所以，高山上猛兽不多，只有飞鸟、野猫、蟒蛇和雪豹在那里生活。就连牦牛也只是偶尔三三两两地走到高处。当然，有时你也能碰见一两只山羊，不过，这里是不可能出现大型动物的，我们的夜晚相对来说还是比较平静的。

可是，快天亮的时候，我们被刺骨的寒气冻得浑身发抖。我再也睡不着了，于是坐起来，把毯子紧裹在身上，警觉地四处查看。

周围十分寂静，我被四面八方涌过来的、令人难以忍受的寂静包围着。

远处时不时传来噼啪的爆裂声，像是野猫从树上跳下，柔软的脚掌踩在秋天的落叶上面发出的声响。

声音渐渐隐退，星星也一颗接着一颗沉下去了，山野显得更加神秘了。

这时，鹰巢里有细碎的声音传了出来，很显然，这是天亮的信号。细碎声再次从鹰巢内传来，那是小鹰在梳理翅膀上的羽毛，这就像我们人类醒来后伸个懒腰一样。

很快沙沙的响声传来，一定是小鹰走到巢前的平台上来了。

一会儿，又传来一些噪声，几只鹳鸟从头顶上掠过，一群像鹤一样的鸟在空中排成行飞着。

一头牦牛的吼声打破了寂静。随着鸟儿们呼朋唤友的啼鸣，干城章嘉峰上的第一道曙光出现了。接着，一道巨大的乳白色光晕出现了，马卡鲁峰露出了头，四周矮一些的山脉也渐渐披上了乳白色的衣裳，山上的石头和大树的轮廓也清晰可见，沾满露珠的兰花在晨光中摇摆着。太阳出来了，红色的火焰把白皑皑的雪峰点燃了。

老刚德和雷佳其实早就醒了，这时他们已站起身来。身为一名祭司，雷佳面对着太阳，用梵语唱起了献给太阳神的颂歌：

啊，太阳，你是东方的花蕾在寂静中绽放，
你从远古走来，不接受尘世的闹嚷。
请继续前行，沿着这条神秘圣洁的路，
到达神祇的金色宝座前方，
面对他的静默，面对他的慈悲，
唱出我们的祝福和希望。

祷告者把两只小鹰吓到了，它们还不适应人类的声音。趁着它们还没发火，我们赶紧结束了祈祷仪式，藏进低矮的松树下面。没吃上早餐的两只小鹰走出巢穴，向着天空四处观望，搜寻父母的踪迹。两只小鹰的下方，有一群群的鹦鹉和松鸡飞过，在小鹰们看来，这些家伙小得就跟蜂鸟一样。南飞的大雁昨晚在此休息，消除了长途跋涉的疲乏之后，此时正在慢慢地飞过雪山，渐渐地变成小黑点儿，消失在天边。

几个小时过去了，小鹰们还是没见着父母的影子，它们饥饿难忍，开始急躁不安起来。我们听到了巢内传来了争斗的声音，而且越来越激烈，最后，其中一只小鹰生气地走了出来，向山崖高处爬去。

它越爬越高，可就是不知道用翅膀飞。

此时已快到正午，我们吃过午饭后依旧没看到成年老鹰们回来。我们判断，留在巢里的那只鹰是姐姐，因为它看起来比另一只鹰的个头要大。它迎着风，卧在巢边，凝视着远方，变得越来越灰心失望。大约在下午两点，巢内的小鹰终于等得不耐烦了，决定去找弟弟。那个家伙正蹲在山崖的高处，同样也迎着风。一看到姐姐上来找它，小家伙的眼睛一亮，显得十分高兴。

我从没见过成年老鹰教自己的孩子学习飞行，因此这些小家伙如果不是饿坏了，是不会主动张开翅膀的。成年老鹰非常了解这一点，所以，在孩子长大后，它们就会选择适当的时间离巢远去。

姐姐好不容易爬到了弟弟身边，可是山崖顶上的空间有限，容不下两只鹰落脚。

它们几乎没办法来保持平衡，姐姐差点儿把弟弟撞下山崖。

弟弟赶紧展开自己的翅膀，风把它托了起来，它伸出爪子想要降落，可是太晚了，它离地面至少还有半米。小鹰被迫拍打着翅膀，往高处飞去。

它的尾羽低垂着，像船舵一样控制着方向，一会儿斜着，一会儿向东，一会儿向南，一会儿又向东。它就在我们的头顶飞来飞去，双翅发出呼呼的风声。瞬间周围又陷入了一种庄严寂静之中：昆虫停止了鸣叫，兔子躲进了洞里，树叶也一动不动了，都在侧耳聆听着新的空中之王扇动翅膀的声音，目送它展翅高飞。

小鹰必须向更高处飞去，只有那样，它才能发现猎物。

有时，老鹰在离地面五百多米到九百多米的高度飞翔时，一眼就能发现在地面蹦跳的野兔。

那时它会收拢双翅，像闪电似的呼啸着俯冲下来，就凭那可怕的呼啸声就能把兔子吓得一动不动，让敌人把尖利的爪子刺进自己的胸膛。

眼看着弟弟飞了起来，鹰姐姐也不想落后，它也展开了翅膀，让风把它托上天空。

它浮在半空中，用尾羽调整着方向，不断向弟弟靠近。几分钟后，两只鹰消失在天边。

我们也应该走了，要去寻找彩虹鸽了。

也许彩虹鸽已飞回了丹祕牡，可我们还是要努力地搜寻彩虹鸽过去飞行中用以辨别方向的那些标志物——每一座庙宇和城堡。

第四章
追寻奇鸽

我们爬下了山崖，走进了荒凉的峡谷，一瞬间，就好像进入了一个黑暗的世界。

虽然现在才下午三点钟左右，可是高山的阴影把这一带变得十分昏暗。走在阴森森的峡谷里，我们不知不觉地加快了步伐。

下山后又走了三百多米，我们才稍稍感觉到了暖气的回升，可是夜晚就快要到了，气温会很快又下降的，我们必须赶紧去找个庙宇借宿。

不久，我们来到这种特殊的旅馆，里面的僧人十分热情好客。

不过他们都不爱说话，除了吃饭和领路，他们几乎不与我们交流。

整个晚上，这些僧人都在闭目打坐。

我们被安排住在三间小石屋里，是在岩石上雕凿出来的房子。石屋前面，有一片绿色的草坪。我们借着随身携带的灯笼的光亮，发现屋里只有稻草铺成的床。不过还好，夜晚对我们来说并不太漫长，因为实在是太累了，我们倒头就睡着了。

凌晨四点钟，我被一阵脚步声惊醒了，我从床上跳了起来，循着声音走了过去，看到有很多的亮光。

下坡，上坡，我沿着石阶一直追赶着，光亮带着我来到了寺庙的主殿，这是一个三面透风，顶上悬着一块巨石的大洞穴。

洞内站着八个僧人，他们放下手中的灯笼，盘起双腿，凝神打坐。昏暗的灯光映在他们褐色的面庞和蓝色的僧袍上，显得是那么的平静安详。

过了一会儿，他们的师傅用印度语对我说："为所有已安睡的人祷告，这是我们已沿袭了几个世纪的传统了。在这个时刻，就是那些失眠的人也会把一切忘掉。沉睡的人没有清醒的意识，所以我们要向慈悲的不朽神灵祈祷，希望人们的心灵得到净化，让他们带着纯洁、善良和勇敢的心在清晨苏醒过来。你愿意与我们一起静坐祈祷吗？"

我很高兴地同意了，我们为所有的世人祈祷，祈祷上天怜悯。

直到今天，我早晨醒来时，还总会想起喜马拉雅山上的僧人，想起他们为所有熟睡的人祈祷，祈祷世人的心永葆洁净。

天已大亮了，我发现自己正坐在大山的裂缝之间，在我们的脚下，是光秃秃的陡峭悬崖。银铃的鸣声在晨光中轻柔地响起，一声又一声，银色的铃和金色的铃，一个接着一个，共同奏响了甜蜜的乐曲。

这是僧人们在向着第一缕晨光致敬。太阳初升，光明战胜了黑暗，生命战胜了死亡。

下来后，我碰见了雷佳和老刚德，他们正在吃早餐。这时一位陪侍左右的僧人对我说："你的鸽子来过这儿。"他向我描述了彩虹鸽的样子，甚至还说对了它的鼻瘤的大小和颜色。

老刚德问道："你怎么知道我们在寻找一只鸽子？"

这个僧人，连眼睛都不眨一下，回答："你们的心思我能看得懂。"

雷佳急切地问道："你是怎么看懂的呢？"

僧人回答："如果你每天都向不朽的神灵祈祷四个小时，祝福众生幸福安康，那么十几年后，他就会给予你读懂别人心思的能力，特别是那些来到我们这儿的人的心思。你的鸽子来到这里后，我们喂过它食物，也安抚过它，驱除了它心中的恐惧。”

“驱除恐惧？我的天哪！”我禁不住惊呼起来。

僧人十分镇定地回答道：“是的，你的鸽子刚来这里时，就已被吓坏了。我把它托在手上，抚摸它的脑袋，安慰它不要害怕。昨天上午我把它放走了，现在什么也危害不到它了。”

“请问长老，你为什么会这样说呢？”老刚德很礼貌地问道。

僧人回答：“身为高超的猎手，你应该明白这个道理。任何动物或人，如果能不被敌人吓倒，就能避免攻击和杀害。我曾见过什么也不害怕的野兔逃脱了猎犬和狐狸的追捕。恐惧会把人的心思与智慧蒙蔽，凡是被敌人吓倒的人，就一定会招来杀身的灾祸！”

“可我还是不明白，尊敬的长老，你是怎样让鸽子走出恐惧的阴影呢？”

僧人是这样回答的：“如果你能什么都不怕，抛除所有杂念，睡着后也不被噩梦侵扰，那么数月后，任何经你触碰过的东西也会变得勇敢了。现在，什么也吓不到你们的鸽子了，因为我抚摸过它，而我这二十年来，不管是思考、做事，还是在睡梦中，都早已什么也不害怕了。你们的鸽子安全了，以后也不会再受到任何的伤害了！”

彩虹鸽安全了。

这冷静而又坚定的话从他的口中说出，我一点儿也不怀疑。事情不能再耽误了，我必须马上去找它。于是我们向僧人们告别，继续往南走。我深信这位僧人说的是对的，如果你每天早晨都能为别人祈祷，你一定能使他们在新的一天开始时心中没有杂念，同时充满了勇气，还有爱。

我们加快速度下山前往丹忒牡。沿途的风景越来越熟悉了，气温也越来越高，也看不到杜鹃花了。

高山上的秋意还没有延伸到这里，樱桃树上仍然挂满了果实，树上长着厚厚的青苔，上面落满了随风飘散的兰花花粉。盛开的兰花有人的巴掌大，颜色有紫红和深红色。在日光的照射下，许多白色的曼陀罗花渗出了水珠。越往下走，树木就越显得高大、阴森。竹子像尖塔一样直插云霄，浓密的爬行植物像巨蟒一样缠满我们经过的小路。

吵闹的蝉声让人心烦意乱，树林里的松鸡也叽喳着叫个不停。时常还飞出一群发出绿宝石光芒的鹦鹉，它们向着太阳飞去，瞬间消失了踪影。昆虫的数量也越来越多，大蝴蝶扇动黑天鹅绒似的翅膀在花丛中飞舞着。有数不清的小鸟在捕食嗡嗡的蚊蝇。我们被蚊虫叮咬得疼痛难忍，还经常给过路的蛇让道。

要不是靠着老刚德那双受过训练的眼睛，我们就是有十条命也早被蛇或者水牛给夺走了。老刚德知道哪条路上有动物出没，有时，他会把耳朵贴在地上，停止呼吸认真地听着。

几分钟后，他告诉我们："对面有一群水牛正往这边来了，我们还是等它们先过去再行动吧。"

不一会儿，我们真的听到了尖利的牛蹄子踩在灌木丛上的嚓嚓声。不过这并没有吓到我们。我们吃完午餐后，继续前行。

最后我们到达了一个不大的山谷。在这里，成熟的红黍、绿色的橙子、金黄的香蕉与山坡上盛开的金盏花、紫罗兰相互映衬，很有诗意。

就在那时，出现了一幕让我一生难忘的奇异景观：在我们脚下狭窄的大篷车道上，滚滚的热浪在空气中震颤着，反射出彩虹一样的光芒。

我们还没走几步，突然有雷声传来，然后看见一群喜马拉雅野鸡被惊起，它们扑棱着翅膀飞进了灌木丛，斑斓的羽毛在热空气的作用下像孔雀开屏一样绚丽。我们继续前进，没过几分钟，又惊起了一群土褐色的野鸡。我疑惑地向老刚德请教。

老刚德回答道："幸运的孩子，你难道没看出来有辆装满稻谷的大篷车刚从这里经过吗？那辆车上肯定有个口袋破了个洞，稻谷从洞里漏了出来，落在了地上，接着就引来了这些鸟儿在路上啄食稻谷。而我们的到来吓着了它们，所以它们就飞走了。"

"可是，智慧的长者啊，为什么雄鸟们看起来那样华丽，而雌鸟那么平凡朴素？难道说造物主更加偏爱雄性吗？"我又问老刚德。

老刚德这样向我解释："传说大地母亲曾经赐予鸟儿们能迷惑天敌的保护色，可是你看看那些雄性的野鸡，它们的色彩太过于绚丽了，即使是个瞎子也能看到并杀死它们。"

雷佳惊讶地叫了起来："啊，瞎子也看得到吗？"

老刚德答道："你小小的年纪想得还挺细致的，瞎子当然看不到。真正的原因在于野鸡都住在树上，只有天特别热的时候，才会到地上来。我们这里的天气十分炎热，离地面五厘米的地方温度就像火烧似的，滚滚的热浪映射出上千种不同的颜色来，而野鸡的颜色正好与此相似。所以我们走在路上时，根本看不到野鸡，它们全都隐藏在色彩斑斓的热浪里，就在刚才，我们差一点儿就踩到了它们呢！”

“这回我明白了。”雷佳恭敬地回答道，“可是为什么雌性野鸡看起来那么平凡朴素，而且还不跟雄鸡并肩一起飞呢？”

老刚德一点儿也没有犹豫，干脆地回答说：“每当有敌人靠近它们，惊吓到它们的时候，雄鸡总会先飞起来迎接敌人的子弹。倒不是它们有什么骑士风度，而是因为雌鸡的翅膀不像雄鸡的灵活。除此以外，雌鸡的羽毛和地面颜色很相似，所以它可以张开翅膀保护小雏鸡。它趴在地面上，完全和环境融为一体，靠着保护色就能躲避敌人。等敌人走开去找中弹身亡的雄鸡时，雌鸡就会带着宝宝一头钻进旁边的灌木丛中……接近岁末的时候，即使鸡宝宝们已长大，离开了鸡妈妈，鸡妈妈也会跌跌撞撞地从树上扑到地面，趴在那里做出保护孩子的动作。牺牲自己已成为雌鸡的一个习惯，不管身边有没有小宝宝，它们都会不由自主地张开翅膀。我们刚才过来时看到的正是这一幕，当鸡妈妈突然发现身边并没有孩子需要保护，而我们又步步逼近时，它们还是飞走了。这些飞行家还是很笨拙的！”

将近黄昏的时候，我们来到一户山民家里歇息，他的儿子和我们是朋友。

在那里我们找到了彩虹鸽更多的踪迹。彩虹鸽曾经多次光顾这个庭院，所以不久前它路过这个熟悉的地方时，就进来吃了谷粒、喝了水，还洗了一个澡。彩虹鸽在梳理翅膀上的羽毛时，掉下了两根小羽毛，我的朋友觉得颜色很漂亮，就把羽毛保存了下来。

一见到彩虹鸽的羽毛，我高兴地简直要发了狂。那一晚，我睡得最沉稳、最踏实。我睡得这么香，还有另一个原因——老刚德叮嘱我们一定要好好休息，因为第二天我们要在丛林里过夜。

第二天晚上，当我坐在丛林深处高高的树枝上时，我是真的怀念我们的山民朋友那舒适的家。

想象一下吧，当你跋涉了一整天后，还要来到危险的丛林深处，不得不在一棵巨大的菩提树上过夜，那会是怎样的一种心情呢？

我们花了差不多半个小时才找到了这棵适合栖身的大树，因为菩提树总体上来说不生长在海拔过高的地方。我们也不能爬到树干过细的大树上过夜，万一有野象向我们发起攻击，倒退着冲过来的话，细小的树是经不起这种撞击的。皮粗肉厚的动物往往会用自己的身体来撞击、摧毁大树。

我们想找的树必须是高大粗壮的，有野象的长鼻子够不到的树枝，即使有两头野象夹击也推不倒的那种。

最后，我们终于找到了这棵令人满意的大树。

雷佳站在老刚德的肩膀上，我站在雷佳的肩膀上，总算够到了一根有人腰那么粗的树枝。我先爬上去坐好，然后放下绳梯。外出到丛林探险时，我们总是随身带着这种绳梯以备急用，现在它正好有了用武之地。接着，雷佳爬了上来，坐在我边上。最后，老刚德也爬上树枝，坐到我们二人的中间。我们低头往下看去，老刚德刚才站的地方变得一片漆黑，就像煤矿的矿窑里一样，只不过有两个间隔很近的绿色光点在黑夜里发着光，这种光我们太熟悉了。老刚德爽朗地笑着说：“我要再晚两分钟的话，就被这浑身长着条纹的大家伙给吞下肚了！”

眼看着猎物逃脱了，老虎发出了雷鸣似的嚎叫，像是在恶狠狠地咒骂着。一瞬间，周围一片寂静，所有动物都不敢再发出一点儿声响了。可怕的寂静四处蔓延着，沉入地下，好像连树根都被它紧紧抓住了。

为了确保安全，老刚德把柔软的绳梯缠绕在腰间，又依次缠绕在我和雷佳的身上，并把绳子剩下的一截紧紧地绑在树上。我们分别试验了绳梯的承重能力，以防睡着了之后从树上掉下去。人在睡着后，全身都处于松弛状态，一不小心，就会像石头一样往下坠落。把大家都绑牢了

后，老刚德还伸出了他的胳膊给我们当枕头用。

一切准备妥当后，我们屏住了呼吸，观察着树下的动静。老虎已走远了，昆虫又开始鸣唱了，远处不时有巨大的身影从树上跳下，脚掌发出嘭嘭声。那是豹子，白天它们会在树上待上一整天，到了晚上就跳下来捕猎。

等豹子们一走开，青蛙就呱呱叫了起来，昆虫的嗡嗡声此起彼伏，猫头鹰也不时发出叫声。

这些声音在耳边不停地聒噪着，就好像阳光刺进毫无防备的眼睛里一样。

一头野猪经过，所到之处植物都被噼里啪啦地折断了。没过多久，青蛙的叫声突然停止，地面丛生的野草和灌木先是像干草垛一样竖立起来，突然又“呼”地倒下去。那种细微的声响听起来非常可怕，好像海浪卷起的浪花，一步一步，慢慢逼近树下……

等它终于爬过去，我们这才长舒了一口气。那是一条巨蟒，它往水塘那边爬去。我们紧紧地贴在大树上，大气都不敢出一口，因为老刚德担心喘气的声音会暴露我们的行踪，如果被蟒蛇发现了，那就糟了。

几分钟后，我们听到了几声小树枝折断的声音，听起来就像是有人在打响指。

原来是一只野鹿，它的角被藤蔓给缠住了，它正猛力拉扯着，想要挣脱开。野鹿挣扎的声音慢慢消失后，丛林又笼罩在一种紧张的氛围中，各种声音也渐渐平息了。刚才我们听到的十几种声音突然变成了三种：昆虫嘤嘤的鸣叫、野鹿短促的哀鸣和头顶呼呼的风声。

不用怀疑，水塘边的巨蟒已成功地把野鹿猎杀了。接着，野象群来了。将近五十头野象就在我们的树下嬉戏着，母象的长啸、公象的呼噜声和小象们跑来跑去的声音响成了一片。

接下来还发生了什么我就不记得了。因为我好困哪，就迷迷糊糊地睡着了，好像听见自己在用鸟语和彩虹鸽对话。半梦半醒之间，我感到有人在使劲摇晃我。

我猛然惊醒，听见老刚德在我耳边压低声音说道："快醒醒！有情况！有个笨家伙掉队了，这下丛林可要遭殃了。我们待的地方不够高，野象够得着。它如果伸长了鼻子，一定会闻到我们的味道。野象对人类又恨又怕，假如它闻到了气味，这一整天肯定都会守在这儿不走了，非得找到我们才肯罢休。在敌人发起进攻之前，小伙子们，赶快打起精神来吧！"

老刚德对野象的判断一点儿都没错，迎着黎明的微光，我看到树下有个小山一样巨大的身影在走来走去。它在大树间窜来窜去，把秋风尚未刮落的树枝折断了许多。

这个好吃的家伙正在贪婪地享用着深秋里难得的美味食物。

大约半个小时后，这家伙竟然耍起了怪把戏：它直立着身子，前腿趴在粗壮的树干上，把长鼻子摆来摆去，活像一头古代的猛犸象。野象尽力地伸长了鼻子，都快要碰到树尖儿了，一下子就拧断了尖上最鲜嫩的大树枝。吃完那棵树上的嫩树枝后，它又走到我们身旁的一棵树跟前，直立起身子又玩了一次。接着，它发现了一棵瘦弱的树，就用鼻子把树卷弯，用前脚踩在树干上，重重的身子压在上面，那可怜的树就这样被拦腰折断了。野象风卷残云一样把树上的嫩叶吃了个干干净净。这个鲁莽的家伙啊，树上的小鸟和猴子都被它吓得四处乱窜。

这时，野象站在那棵被它压断的树上，把长鼻子伸到了我们栖身的大树上，而且正好就碰到了我们藏身的那根树枝。

还没等我们反应过来，野象就尖叫起来，缩回了长鼻子，因为所有的动物都畏惧人类的气味。

它哼唧了几声之后，又把长鼻子探了过来，鼻孔差点儿就碰到老刚德的脸。老刚德冲着野象的鼻孔打了一个喷嚏，可怜的大家伙吓坏了，以为被人类给偷袭了。于是，它像个被吓破了胆的恶魔一样尖声吼叫着，冲进了灌木丛，把一路上的草木撞得四处乱飞，满地都是。一群群鹦鹉也被惊起，像绿色的风帆一样飞上了天空。猴子尖叫着，从这棵树跳到那棵树上。野猪和野鹿四处奔逃。整个丛林充满了喧闹和骚动。

我们只好坐在树上等了一段时间，才敢从树上下来，重新踏上了归途。

当天晚上我们安全返回了目的地，全是靠运气——我们在山上遇到了一辆大篷车，就搭着它回到了丹忒牡。我们三个都快累死了，不过看到卧在鸽窝里的彩虹鸽的那一刻，又顿时忘记了疲倦。

哦，真是太高兴了！

那天晚上睡觉之前，我不由自主地想起那位镇静从容的僧人的话："你们的鸽子会安全的。"

第五章
奇鸽失踪

我们回来的第二天清早，彩虹鸽就又飞走了，接连好几天都没有回来。我焦急地等了它四天后，实在无法忍受了，于是又和老刚德出发去寻找彩虹鸽了。它到底是生是死，我必须弄清楚才可以。这次我们雇了两匹矮种马，骑着马去寻找。每经过一个村庄，我们都向当地的村民打听彩虹鸽的行踪，以便确定路线。有许多村民都表示见过彩虹鸽，其中一些人还对彩虹鸽进行了精确地描述。一位猎人在一座寺庙的屋檐下见过彩虹鸽，说它把巢正好筑在一只燕子的巢旁边。还有一位僧人，说在他们当地的寺庙里见过彩虹鸽，那座寺庙位于河边，河岸上有野鸭在那里筑巢栖息。第二天下午，在我们经过的最后一个村庄里，有人说见过彩虹鸽和一群燕子在一起。

在这些精确描述的指引下，第三天晚上，我们到达了当地最高的高原，在那里露营。借着篝火和天上的弯月，我看到两匹马僵直着身子站在那儿，它们的耳朵紧张地竖着，尾巴也不摇一下，正专注地听着周围的动静。我也不由自主地凝神倾听起来。夜晚的寂静不是真的安静无声。安静就是空空荡荡的，没有任何声响，可是降临在我们周围的这种寂静让人觉得意味深长，好像一位披着月色的神正在悄悄走近，我只要伸出手去，就可以触摸到他的衣裳。

这时，马动了动耳朵，好像在捕捉寂静的回声。神已走远，紧张的气氛被一种奇怪的轻松感代替了，我好像能感觉到小草最轻微的颤动，可是那种感觉转眼就没有了。两匹马把头转向了北方，那边传来的声音让人的神经绷得更紧了。我也听到了，好像是熟睡的孩子在打呵欠。接着又是一片寂静。过了一会儿，传来一声长长的叹息声，声音越来越低，好像一片厚厚的绿叶缓缓沉入平静的水面。地平线处传来了低语声，似乎有人正在做祷告。一分钟后，马儿们竖起的耳朵终于耷拉了下来，尾巴也开始摇来摇去了，我也跟着放松下来。看哪，成千上万只野鹅正从高空中飞来，它们至少在一千二百米的高空飞行，尽管这样，两匹马也在我之前早早地听到了它们的声音。野鹅的出现预示着黎明就要到了，我坐起身来，凝望着天空，看着星星一颗接着一颗沉落天边。马儿们开始吃草了，我放松了缰绳。危险的黑夜已过去了，没有必要再把它们紧紧拴在篝火旁边了。

十分钟后，旷野笼罩在黎明的静寂中，两匹马抬起头，警觉地在听着什么。它们想抓住什么声音吗？

没等多久，离我们不远的一棵树上有鸟儿开始抖动羽毛，这个动作就像波浪一样传递到一只又一只的小鸟身上。其中一只开始唱起歌来，那是一只歌雀，它的歌声唤醒了沉睡的世界，别的鸟儿也加入了这个庞大的合唱队伍。此刻，原本模糊的物体轮廓和颜色迅速变得清晰起来，热带地区短暂的黎明很快就要过去了，老刚德也开始起身做祷告了。

不知不觉中，我们已走到了辛加礼拉，很巧的是，我们正好来到了以前曾经说过的那座寺庙。

那里的僧人们非常干脆地告诉我们有关彩虹鸽的消息，他们说前一天下午彩虹鸽和一大群在屋檐下筑巢的燕子刚刚飞往南方。带着僧人们的祝福，我们告别了这些好客的僧人，再次踏上了寻找彩虹鸽的旅程。

群山像是被点燃的红色火炬，我们回头最后凝望了它们一眼。现在，秋天的美景已呈现在我们面前：金黄、深紫、碧绿和樱桃红等各种颜色交织在一起，把群林染成一片绚丽的秋色。

第六章
奇鸽之旅

我们这次寻找彩虹鸽的旅程长达十天，其实，在第一天，老刚德就已发现了彩虹鸽的确切行踪。

不过，你如果想完整详尽地了解彩虹鸽一路发生的故事，还是让它自己来讲比较好。我们如果借助想象的语法书和幻想的字典的话，要理解彩虹鸽的语言也并不是什么难事。

十月的那天午间，我们在大吉岭坐上返回加尔各答的火车，彩虹鸽在鸽笼里开始向我们讲述它从丹甙牡到辛加礼拉，然后又返回所发生的故事：

我的主人啊，您会使用那么多种语言，又能听得懂鸟兽的语言，请您听我讲一讲自己的故事吧。

就好比河流的源头是在高山，我的故事也要从高山开始。

在鹰巢旁边，我亲眼看见、亲耳听到了邪恶的老鹰用尖利的爪子把我的妈妈撕成了碎片。

那情景真的让我痛苦万分，可我不愿意死在老鹰的魔爪之下。如果我注定要成为别人口中的美餐，那也得是空中之王才行。

于是我来到了鹰巢附近的岩石上。两只小鹰并没有伤害我的意思，它们也沉浸在悲痛之中，它们的爸爸刚刚落入猎人的陷阱而惨死了，妈妈也离巢去捕捉野鸡和兔子了。那时候，小鹰们只吃过父母捕猎的食物，还不敢来袭击我，也不敢吃下活生生的我。

后来我还见过许多老鹰，但是它们都没有伤害过我，我也不知道是什么原因。

没多久，你们来了，想把我抓进鸽笼里，可我那时一点儿也不想和人类待在一起，所以就冒险飞走了。

不过我记得沿途的路线，也记得那些认识你的朋友，他们给予了我帮助，我一路南飞，顺利地到了丹忒牡。

在那两天时间里——我的整个飞行过程只有两天——有只羽毛刚刚长全的雏鹰想偷袭我，结果被我狠狠地教训了一顿。

那天早上，我正在山林上空飞翔，突然，高处传来了尖利的叫声，我知道那说明了什么。

于是我要了点儿花样，突然停止飞行，悬在半空中，让那只俯冲的老鹰习惯性地往下冲去，它扑了个空，翅膀也被树枝擦伤了。

我趁机向高处快速地飞，不过它追上了我，我只得在空中绕圈飞行。我越飞越高，高得连呼吸都困难了，只好再向低空飞去。

我刚一降落，老鹰就恶狠狠地尖叫着向我扑来。幸亏我反应快，学爸爸的样子来了一个空翻，这可是我出生以来第一个空翻啊！

我成功地连翻两个筋斗后，像喷泉一样射上了天空。老鹰再次扑空，但随后又追了上来，不过我可没给它可以利用的机会。我突然掉头飞向老鹰，当我从它身边飞过时，老鹰猛然下降，接着又上升，差点儿就要抓住我了。我又翻了一个筋斗，向它狠狠撞去，它一下子就失去了平衡。

这时不知道什么原因，突然间出现了一股巨大的吸力，把我往下向着地面拉去。我的翅膀用不上一点儿力，像那只鹰一样坠落，重重地下沉，我砸在老鹰的身上，我猜它一定被砸晕了。

我们一起坠落，掉进了树林里。我暗暗高兴，因为我落在一棵冬青树的枝丫上了。

那股拖拉我的引力来自气流，这是我第一次碰到气流，在以后的生活中，我还将不断地和气流相遇。

有一个问题我一直弄不明白：在有些树和溪流的上方，空气会变得非常寒冷并且形成气流，而这种气流会把飞鸟吸到地面。我经常被旋转的气流卷上卷下，不得不学习怎样在气流中飞翔。不过我并不恨它们，因为我第一次碰到的气流救了我的命。

我待在冬青树上，肚子饿得咕咕叫，于是决定动身回家。这次就幸运多了，没有卑鄙的老鹰再来阻挡我的归乡之途。

这次成功的逃生经历让我找回了信心。

但一回到家，我就对自己说："现在，既然我的朋友已看到我安全了，不会再担心什么了，我就应该踏上新的旅程，我要再次飞往猎鹰出没的天空，来考验我的勇气。"

我的冒险旅程这才真正地开始。我往北方的鹰巢飞去，中途在一座寺庙里稍作停留，那里的一位僧人曾经为我做过祈祷。在寺庙里，我再次拜访了我的老朋友——燕子夫妇。之后我继续往北飞，经过了辛加礼拉，最终到达了山崖上的鹰巢。两只小鹰已飞走了，我就在那儿舒服地住下了。

不过我有点儿不高兴，因为老鹰在它们的窝里留下了许多垃圾，我担心上面有许多的寄生虫。白天我住在鹰巢里，到了晚上我就搬到树上去住，那儿可没有那么多讨厌的小虫子。

几天后，由于我不断地在鹰巢里出入，我的威信在别的鸟儿中间大大增加了。它们都有点儿怕我，也许是把我也当成了某种鹰隼。就连真正的老鹰也和我保持着很远的距离。这一切都令我充满了信心，而那正是我所需要的。

一天早晨，我看到一队白色的飞鸟往南方飞去，它们飞得很高，我加入了它们的队伍。它们一点儿也没排斥我，这是一群南迁的野鹅，正往南飞，去那里寻找温暖的大海。

野鹅们飞行了两小时后，眼看天气逐渐变暖，就向着一条湍急的河流降落。

和老鹰不同的是，野鹅飞行的时候很少俯瞰地面，而是把眼光投向远方的地平线。它们看到天边出现一条窄窄的蓝色水线时，就一直向着那条水线缓慢下降。地面好像越升越高来迎接我们的到来，片刻间，野鹅群就“扑通扑通”跳进了银色的溪流中——溪流的颜色从高处看见的蓝色变成了银色。

它们悠然自得地浮在水面上，但我的脚上没长蹼，所以只好站在树上远远观望着它们滑稽可笑的表演。

你不知道那些野鹅的嘴有多扁多难看，可是我在那儿看到它们派上了用场。

野鹅的嘴巴能像钳子一样把河岸上的贝壳紧紧夹住，把整个贝壳一口吞下，再用有力的喉咙把贝壳压碎。在吞进肚子之前，贝壳已被它们碾成粉末了。

我还见过一只野鹅，它干的事情啊，比这糟多了。它在河里发现了一条钻进泥洞里的鱼，那条鱼细细长长的像条水蛇，于是它开始把这条鱼往外扯，扯得越来越细，越来越长。

经过一场漫长的拉锯战，可怜的鱼终于被拖了出来。野鹅跳上岸，把鱼摔到地上。

鱼身被鹅嘴咬过的部分，快变成肉酱了。很显然，虽然这条战利品还在蠕动，但是早已死掉了。

接着，不知道从哪里钻出另一只野鹅来。（说明一下，野鹅除了飞翔和游泳时，别的时候的姿态很难看而且很笨拙。它们浮在水面上时，真是美极了，可是一到了陆地上，它们左摇右摆的样子，和拄着拐杖的瘸子差不多。）

那两只野鹅开始争抢这条鱼。它们撕扯对方的羽毛，用翅膀拍打着对方，跳起来互相踢打。它们打得非常投入，就连自己为什么打起来都给忘了。一只野猫一样的生物——也可能是只水獭——这时乘虚而入，从芦苇丛中窜出来，一口就叼走了那条死鱼，转眼就消失不见了。两只野鹅停止了争斗，可是太晚了！它们确实太笨了！和它们相比，我们鸽子可就聪明多了。

看到它们停止打斗，领头的野鹅高声叫喊起来："嘎、嘎、嘎！"

一听到号令，所有的野鹅都开始用力划水，来增加冲力。它们扇动了几下翅膀，就飞上了天空。它们现在看起来是多么漂亮啊！宽大的翅膀挥舞出轻柔的风声，脖颈和身子笔直地伸向天空，形成了一幅多么迷人的画卷。此情此景让我终生难忘。

不过，每个鹅群都会有掉队的家伙。

这回那个掉队的家伙，正在专心地捕鱼，以致没听到出发号令。它把猎物制服后，才飞上天空，准备找棵树站稳，慢慢享用美餐。谁知从寂静的天空中猛地冲出一只游隼，向它扑来。

野鹅吓得赶紧往高处飞，可是执着的游隼紧追不放。它们越飞越高，在天空兜着圈子，尖利的叫声和嘎嘎的叫声交织在一起。

这时，远处隐约传来了鹅叫声，虽然微弱但是很清晰。那是领头鹅在呼唤这个掉队者。被游隼追击的野鹅一分神，下意识地回应了一声。

一刹那，那野鹅口中的鱼就像一片树叶一样飘落了下去。

游隼俯冲下去，准备用爪子抓住猎物时，不想从下面传来巨浪似的咆哮。

一只老鹰从空中像滚石一样砸了过来，吓得游隼拼命逃窜。看到这样的情景，我忍不住偷笑起来。

老鹰舞动着船帆一样的大翅膀，闪电似的伸出利爪，抓住了野鹅口中掉落的那条鱼。然后，这只空中之王身披阳光编织成的金色铠甲，快乐地飞走了，腿上的羽毛随风飘拂。而远处，那只游隼还在没命地逃窜着。

我高兴的是游隼终于飞远了，因为我要飞去寻找大篷车道，在那里寻找人类掉落的稻谷来当作食物。很快我就找到了食物，饱餐一顿后，我飞到树枝上美美地睡了一觉。

当我醒来，已是午后了，我决定出发飞往那座寺庙，去拜访我的老朋友燕子。

一路上非常顺利，我飞行时已学会了小心谨慎。一般情况下，我会在高空飞翔，这样可以俯瞰下面，同时遥望地平线。虽然我没有野鹅那么长的脖颈，但是每隔几分钟，我就会转转头，用眼角的余光扫视周围，确保身后没有什么危险。

太阳落山之前，我及时赶到了寺院。许多僧人已在主殿当中坐好了，准备在日落之前为世人祷告。

燕子夫妇正在巢边飞翔，三只小燕子已睡着了。不用说，它们热情地接待了我。

僧人们结束了晚祷仪式后，还给我喂了食，那个和蔼可亲的老僧人还向慈悲的天神祈祷，祝福我平安。

从他的手掌上飞起来时，我突然感觉自己没有什么可以害怕的了。我高兴地回到了屋檐下的巢中，我的巢和燕子一家离得很近。

早晨，寺院里的僧人敲响晨钟时，小燕子们早已起床，在附近练习飞行。

我和燕子夫妇靠着飞翔来驱走清晨的寒意。一整天我都留在庙里，帮燕子夫妇为南飞做准备。它们打算去斯里兰卡或者非洲的某个地方筑巢，这让我感到很意外。它们解释说，要把燕巢造好是非常不容易的，为了满足我求知的欲望，它们还向我讲解了有关筑巢的技巧。

为了弄清楚燕子筑巢的本领，我们需要先来说说燕子身体的局限性。

首先，它的喙很小，只适合抓虫子吃。不过它的嘴巴很宽，很适合在飞行时捕捉猎物，很少有虫子能逃脱它张开的宽嘴巴。

由于个子太小，雄燕无法衔起太重的东西，因此它的巢都是用柔软纤细的材料筑成的，比如牙签一样粗细的草和树枝。

我第一次见到燕子时，觉得它们都是软弱无力的丑家伙。

燕子长着小短腿，几乎无法支撑自己的身体。它的小脚就像小鱼钩，紧紧地贴在身下，生来就为了抓牢东西。钩状的爪子也不够灵巧。由于连接身体和脚的胫部太短，燕子也不能像别的鸟儿那样蹦蹦跳跳的。

不过，小短腿也有它的优势——燕子能牢牢抠住滑溜溜的岩壁或者平整的屋檐，而这些是别的鸟儿根本无法做到的。

我亲眼见过我的燕子朋友紧紧抓住镜子一样光滑的墙壁，就好像那墙面是皱巴巴的一样。

在这些不利因素的影响下，燕子只得在屋檐底下的墙壁上找个小洞来安家，可是里面没法下蛋，因为蛋会滚落下去。燕子就衔来稻草和小树叶，用自己带有黏性的唾液把它们粘在燕巢的底部，这就是燕子筑巢的奥秘。燕子的唾液很神奇，风干后会很快变硬。

巢穴筑好后，母燕就会产下细长洁白的蛋。在燕子的世界里，雌性并没有被解放出来，它们承担的工作总比雄性要多。不像我们鸽子，基本上男女平等。举例来说，燕子爸爸从不孵蛋，它觉得那全是母燕的事。一天之中，它偶尔会给孵蛋的母燕带点儿吃的回来，可是大多数时候它都跑到别的公燕那儿串门去了。我劝过它，让它学着点儿我们鸽子，给自己的妻子多点儿自由，可是它似乎觉得我是在和它开玩笑。

我们终于做好了一切准备工作。在一个秋天的清晨，我和五只燕子往南方出发了，我的朋友——燕子先生是领航员。我们从来都不走直线，而是呈“之”字形飞行，有时向东，有时向西。不过我们的大方向还是保持向南。燕子以河流和湖泊上方的飞蝇和蚊虫为食，飞行速度可以达到每小时八十千米。若是换成别的小鸟的话，这个速度一定会让它们头晕眼花。燕子不喜欢树林，因为它们一边飞行一边寻找昆虫，眼睛始终盯着下方，一不留神就会撞到树上，折断翅膀。它们更喜欢在河流上空的开阔地带，舞动着镰刀一样尖尖的翅膀，像老鹰捕食一样急速飞行。燕子目光敏锐，身手敏捷，所到之处，前一秒还在阳光中飞舞的飞蝇和蚊虫，下一秒就会被它一扫而光。

就这样，我们一路飞过了小溪、池塘和湖泊。顺便提一下，燕子不仅吃东西快，喝水也一样迅速敏捷。它们一边贴着水面飞行，一边饮上几小口水，然后快速吞进喉咙。难怪它们不愿意在大树小树和灌木挤挤挨挨的丛林中飞行呢。

可是在开阔地带飞行也有坏处。当燕子急飞捕食昆虫的时候，雀鹰常常从天而降。在这样的情况下，燕子不可能俯冲，不然它会掉到水里淹死的。让我给您讲讲我朋友相似的经历吧。一天下午，在一个很大的湖面上，我的朋友们正忙着捕食昆虫，享用晚餐。我却四处巡逻，保护雏燕。这时，一只雀鹰突然俯冲下来，我冒着生命危险，一点儿没有犹豫地插了过去，翻了一个筋斗，用自己的身体挡住了小燕子们。那只雀鹰应该从没见过我这样勇敢的鸽子，同时也低估了我的体重。事实上，我起码比它重一百多克。雀鹰用它的利爪击中了我的尾巴，扯下了几根羽毛。它自以为已得手，就在空中盘旋了片刻。等它意识到抓到的不过是几根毛后，所有的燕子都已脱险，逃到了一棵树上，雀鹰很难再抓到它们了。

小雀鹰因羞愧变得发怒了，气势汹汹地向我扑过来。可惜就凭它那小爪子，还无法刺穿我的皮肉。于是我决定应战。我一个空翻冲向了高空，雀鹰跟了过来，我又箭一样俯冲，它还是紧追不放。接着我又往高处飞，它继续紧咬不放。可是雀鹰惧怕高空飞行，它渐渐跟不上我的节奏了。我的翅膀扇两下，它只能扑棱一下。看着筋疲力尽、神情失意的雀鹰，我想教训它一下。于是我马上俯冲下去，雀鹰也跟着我冲下去。水面离我们越来越近了，眼看我的翅膀就要贴到水面了。紧急时刻，我猛地往前冲，正好赶上了一股热气流，这股气流一下子把我抬了起来。你也知道，在坑洼和山谷地带，空气受热后就会往温度低的区域涌去。我们鸽子需要迅速上升时，就会寻找这种气流助自己一臂之力。我连翻三个筋斗，再看下面，雀鹰已栽进水里去了，它就没赶上这股热气流。这家伙呛了不少水后，狼狈地飞上了岸，躲进了密林里。燕子们这才从藏身处飞出来，与我继续往南飞去。

第二天，我们遇见了一群野鸭。它们也和我一样，脖颈上的羽毛是彩色的，不过别的地方是纯白色的。它们是生活在溪流边的野鸭，每天都顺流而下捕食小鱼。假如发觉离家太远了，它们就会浮出水面，飞回巢穴。它们就像梭子似的在溪流上穿梭不停。它们的喙比野鹅的还要扁，里面还有很多凹槽，如果咬上鱼的身子，就不会再松口。野鸭看上去对贝壳类动物毫无兴趣，也许是河里的鱼太多的缘故吧。可是燕子们并不喜欢这个地方，因为野鸭们总是扇动大翅膀，把水面上飞舞的小虫子都给扇跑了。尽管这样，燕子还是挺高兴能见到这群住在山涧边的野鸭，野鸭从不惊扰平静的水面，比大多数鸭子要可爱多了。

这群野鸭警告我们说，这个地区暗藏着很多猫头鹰和别的鸟类杀手。我们在寻找藏身处时，总是尽量找那些猫头鹰无法进入的狭窄区域。

对于燕子来说，在树上找个小洞很容易，我决定还是露宿在空旷地带，一切听天由命吧。

夜晚很快降临，我的眼睛就什么也看不到了。周围一片漆黑，我的眼睛上像是被罩了块黑布。我向保佑鸽子的神灵祷告后就准备入睡了，可是猫头鹰的叫声太吵了，谁还能睡得着啊！对于夜晚的恐惧让我夜不能寐，我时时都能听到鸟儿痛苦的尖叫声，随之而来的是猫头鹰得胜的叫声。一会儿是只椋鸟，一会儿是只印度夜莺，随着阵阵惨叫，它们一只接一只地在猫头鹰的利爪下丢了性命。

虽然我紧闭着双眼，可是耳朵依旧能听到周围正在发生的大屠杀。一只乌鸦又尖叫起来，接着是另一只，越来越多的乌鸦叫了起来，整群的乌鸦惊飞了起来，有的甚至撞到了树上。不过这样总好过被猫头鹰的利爪撕扯。

我惊魂未定之时，突然又闻见空气中传来臭鼬的气味，死神的脚步近了。我绝望了，睁开眼睛想最后看个明白。惨淡的白色月光笼罩着周围的一切，离我不到两米的地方，一只臭鼬正贪婪地盯着我。我赶紧飞了起来，虽然这又会惹祸上身，引起猫头鹰的注意。

确实是这样，一只猫头鹰尖叫着追了上来，接着又来了两只猫头鹰。根据它们拍打翅膀的声音，我能分辨出它们这时正在水面上飞行，因为水能反射出最细微的声音，即使那只是一根轻飘的羽毛落在水面上发出的。我不能随便地向同一个方向继续飞，夜太黑，我没办法看清楚两米以外的东西。

于是我在树林上空停留了片刻，搜索周围是不是有上升的气流。天哪！那些猫头鹰赶上来了，我赶紧一个空翻，在空中跟它们兜起了圈子。

猫头鹰们当然不会轻易放过我。我往更高处快飞。月光如水，倾泻在我的双翼之上，我能更清晰地看到周围的事物了，这大大增强了我的自信心。可是我的对手也不想认输，它们也跟着上升。明晃晃的月光照到它们的眼睛，它们被晃得头晕眼花，不过还能勉强支撑着。

突然，两只猫头鹰向我冲来，我立刻逃向高空。它们扑了个空。哈哈，这两只猫头鹰不幸相撞了，爪子交缠在一起，翅膀在空中无力地拍打着。随着可怕的尖叫声，两只猫头鹰一起掉进了岸边的芦苇丛中。

这时我仔细地观察了一下周围，发现天色已渐亮了，原来我并不是向着月亮在飞啊！我惊恐的眼睛，并没有看清事物的真相。

幸好猫头鹰已不见了，它们一定找地方躲起来了，它们害怕日光。

我又安全了，但还是要尽量避开那些高大的树木，因为猫头鹰很可能就藏在里面。我停在树梢处的一根细树枝上，清晨的第一缕阳光总会最先照在那里，把树冠染得金光闪闪的。

就在那时，一幕惨剧在河岸上发生了。两只像炭似的黑乌鸦，正在狠命地啄一只被芦苇困住的猫头鹰。随着太阳升起，猫头鹰连眼睛都睁不开了。猫头鹰夜晚对乌鸦作恶太多，现在乌鸦们复仇的时候到了。

可我还是不忍心看着它们这样残害那只受困的猫头鹰，就飞去找我的燕子朋友们。我向它们复述了一遍我的经历，燕子夫妇告诉我，它们也听到了凄惨的叫声，一整晚都没睡着。燕子先生问我外面是不是已安全，我告诉它警报已解除。当我们出来的时候，我发现可怜的猫头鹰已死在了芦苇丛中。

说来也怪，那天早上我们在溪流边一只野鸭也没碰上。很显然它们已在清晨出发了，往南飞走了。我们也决定跟上它们的步伐，不过我们不想与别的鸟类同行，因为在迁徙的季节里，哪里出现大群的鸽子、松鸡等鸟儿，哪里就会紧紧跟着猫头鹰、游隼和老鹰。我们并不想去冒这样的危险，去面对那些血淋淋的场面。

我们先向着东边飞了一整天，在一个小村庄里落脚。

第二天，我们往南飞了差不多半天时间，接着又往东飞。这样飞虽然既绕路又浪费时间，但也帮我们省去了不少麻烦。

有一次，我们遇上了暴风雨，被吹到了湖边。在那里，我见到了让我吃惊的场面。当时我正站在树梢上，当我俯瞰下面的时候，我发现水面上漂浮着许多家鸭，每只鸭子嘴里都叼着一条鱼，可是它们都不把鱼往肚子里吞。我从没见过哪只鸭子能抵挡得住鱼的诱惑，于是喊来燕子们一起看个新鲜。燕子们紧紧贴在树干上，低头看着湖面上的鸭子，也不敢相信自己的眼睛。这些鸭子到底怎么了？很快一艘小船出现在我们的视线中，撑着篙的是两个黄皮肤的男人。一看到他们，鸭子们就争前恐后地向小船游去，纷纷跳上了船。你能相信吗？它们把嘴巴里的猎物吐到了一个大大的鱼筐里面，紧跟着又跳进湖水里去抓鱼，就这样一直忙活了大约两个小时。很显然，那两个渔夫从不撒网，而是用绳子紧紧勒住鸭子的脖颈，然后带它们到湖边捕鱼。不管鸭子们抓到什么猎物，它们的主人都会全部没收。不过，当鱼筐装满的时候，他们就会把鸭子们脖颈上的绳索松开，让它们跳进水里，尽情地享用美味的小鱼。

接下来，我们飞离了这片湖泊，去寻找庄稼地。

燕子们降落在一片刚刚收割过的稻田上，在那里捕食各种小昆虫。

我不吃虫子，但我饱餐了一顿美味的谷粒。坐在稻田的围篱上休息的时候，我听到了敲击东西的声音，听上去特别像燕雀啄开核桃（小小的鸟嘴能有啄开核桃的力气，很难想象吧）的声响。

可是，当我往声音发出的地方飞过去时，我发现在篱笆下面的是只喜马拉雅画眉，它在啄一只正缓慢爬行的蜗牛。它用自己的喙一下一下像小锤子似的砸下去，直到蜗牛不再动弹。画眉抬起头，向四周看了看，然后站稳脚跟，张开双翅，找准着力点再冲着蜗牛猛力地啄过去，嗒嗒嗒，三下就把蜗牛壳砸碎了，露出了鲜嫩的蜗牛肉。

画眉叼起肉，我发现它的嘴巴上渗出了一些血，可能是刚才用力过猛，把嘴角给撕裂了。画眉把蜗牛肉稳稳当当地叼在嘴中，飞了起来，很快就消失在树丛中。在那儿，它的伴侣正在等着它一起享用晚餐呢！

接下来的旅程比较平静，我们继续在稻田上空飞行。我们目睹了孔雀在森林里被人类诱捕的场面，至今我还记忆犹新。这些孔雀来到温暖的南方沼泽觅食，因为此时在北方，蛇和别的小动物都已冬眠了，而它们正是孔雀们赖以生存的重要食物。

孔雀和老虎十分仰慕彼此，孔雀喜欢老虎身上的斑纹，常常伸长脖子盯着老虎华丽的外衣；而老虎经常站在水塘边，久久地凝视孔雀绚丽的羽毛。

这时，猎人，这个杀手来了。猎人常常会购买一块绘有老虎花纹的布来当作诱饵，鸟儿们很难辨认出这是只假老虎。接着，猎人在附近的树枝上支好套索，偷偷走开。

我能闻出画布上的气味，从而分辨真假老虎，可是孔雀没有这么灵敏的嗅觉，它们被自己的眼睛和鼻子给害了。

几个小时后，几只孔雀来了，它们站在树梢上，盯着下面那个以假乱真的老虎。它们以为老虎睡着了，这种错觉误导了它们，害得它们壮起胆，跳到了离假老虎更近的树枝上。可是，它们离陷阱也更近了。

没过多久，它们就自投罗网，钻进了套索中。至于它们是怎么同时被套索给套住的，我一直没弄明白。

不久就传来它们绝望的惨叫声。猎人闻声赶来，又对孔雀耍了个花招：他抛出两个黑帆布罩子，分别罩在两只孔雀的脑袋上，遮盖它们的双眼。如果两眼漆黑一片，鸟类总体上来说就不会反抗挣扎了。

猎人紧紧地拴住孔雀的双脚以防它们逃跑，最后，他把两只孔雀挂在竹竿两头，挑着猎物得意地走了。

我的历险故事到这里就结束了。第二天，我和燕子夫妇道别，它们继续飞往南方，我则要满心欢喜地往家赶。

经历了这些事情的我，变得更加聪明了，但也充满了感伤。请您告诉我，为什么鸟类和别的动物要忍受互相残杀的苦痛？人类并不像动物一样互相残杀，对吗？不管怎样，鸟类和别的动物的世界里是充满了残杀的，这一切让我时常感伤。

第二部　鸽王传奇

第一章
特殊训练

我们回城后，城里谣言四起，说是欧洲将要爆发战争。这时冬天也马上要到了，我决定对彩虹鸽进行一些必要的训练，以备随时接受英国陆军部的调遣，让它成为一只军用信鸽。彩虹鸽非常适应喜马拉雅山东北部的气候，有望成为一只不可多得的信鸽，穿梭在欧洲各个国家传递情报。即使到了今天，军队安装了无线电通信设施，也还是离不开信鸽的帮助。当你读完这个故事后，你就会明白我为什么这么说了。

我给彩虹鸽制订的训练计划得到了老刚德的认可。顺便说一下，老刚德一路陪伴我们回到城里，在我家住了两三天后，就坚持要离开。他说："城市真叫我无法忍受，我没法喜欢上任何一个城市。大街上不是电车就是轰隆隆的小汽车，弄得人胆战心惊的。丛林里的老虎我都没怕过，可就怕城里的汽车。在最危险的丛林里待上一整天，也好过在城市里的十字路口站一分钟。再见了！我要回到宁静的树林里去，那里的空气没有尘埃和怪味。那里的天空，是一望无际的蔚蓝，不像城市的天空被密密麻麻的电线杆和电线阻断了视线。没有工厂发出的噪音，只有小鸟婉转的啼鸣萦绕在耳边。我要远离盗贼和歹徒，到森林中与善良的老虎和黑豹为伴，再见吧！”

老刚德离开之前，帮我买了四十只信鸽和一些筋斗鸽。你也许会问我为什么要买这两个品种的鸽子，我也不知道自己是不是偏爱这两种鸽子，不过说真的，扇尾鸽、凸胸鸽，以及别的品种的一些鸽子，都是徒有其表，用途不大。我家里也饲养过这类鸽子，可是事实证明，它们跟信鸽和赛鸽，一点儿也合不来，所以我就渐渐地只钟爱纯种的信鸽和赛鸽了。

我不喜欢印度的一种很奇怪的风俗：不管你以多么昂贵的价格售出自己的信鸽，只要它又重新飞回你家，那么这只信鸽就再次成为你的财产，你无须退款。这个风俗在鸽迷之间，已约定俗成。所以我只好训练新买回来的宠物鸽，让它们尽快喜欢上我这个新主人。我既然花钱买了它们，肯定不想它们又飞回旧主人那儿去。我要想办法让它们尽快爱上新家。可是现实很残酷，一切都得从头开始。最初的几个星期，我不得不把鸽子的翅膀给绑上，确保它们老老实实地待在房顶。给鸽子绑翅膀是个精细活，首先得准备好细绳，把绳子这一头绕在一根羽毛上，再向下穿过另一根羽毛，绳子要紧紧贴在翅膀的根部。然后把绳子的另一头从下往上穿过每根羽毛，把整只翅膀都环绕一圈，最后把绳子两头汇合，打个结，方法就跟缝补衣服一样。这种绑法对鸽子来说没什么痛苦，它们仍然能张开和拍打翅膀，也能像平时一样梳理羽毛。我把这些新来的鸽子绑好后，放在房顶的各个角落。它们很安静，慢慢地熟悉着周围的颜色和特征。这个过程至少得持续十五天，才能给它们松绑。

彩虹鸽也被这样绑过，可是这家伙做了一件狡猾的事情。十一月初，我把彩虹鸽卖给了别人，想借此考验一下它，看它在松绑后，会不会重新飞回来找我。

才过了两天，彩虹鸽的新主人就找到我，着急地说："彩虹鸽跑了！"

"怎么跑的？"我问道。

"我也不知道，但是我在家里找不到它的影子了。"

"你没有给它绑翅膀吗？它能飞吗？"我又问。

“它的翅膀是绑着的。”他答道。

听了这话，我很惊讶。我说：“哦，那你跑到我这里来有什么用，还不赶快到你家周围好好找一找。如果它想飞，而又被牢牢绑住了翅膀，那它会不会从房顶上摔下去呢？如果真的是那样，那么现在它早给野猫吃进肚里去了。哦，你可害苦了这只鸽子，这可是一只信鸽之王，你把一只伟大鸽子的前程给毁了！”

听完我的训斥后，买主被吓坏了，求我和他一起去寻找彩虹鸽。我的第一反应就是猫口夺鸽。我们找了整整一个下午，可没有找到。所有的脏乱小巷都被我翻了个遍，期望在哪个角落里找到它，把它从癞皮猫的围攻中救出来。我从来没走过这么多小巷，可是十二个小时后，我还是没找到彩虹鸽。那天晚上，我很晚才回到家，挨了父母一顿骂后，伤心绝望地爬上床睡觉。

我妈妈最善解人意，她非常理解我的心情，也不希望我闷闷不乐地进入梦乡。她安慰我说：“你的鸽子很安全，安心睡吧！”

“你怎么知道，妈妈？”

妈妈回答道：“如果你能保持一颗平静的心，彩虹鸽也会感受到你的平静，如果它心情平静，头脑就能保持清醒。你也知道，你的小鸽子是那么聪明，如果它能放松心情，就能战胜一切困难，安全返回家。现在让我们向慈悲的神祈祷吧，让他保佑我们保持宁静的心。”于是我们坐在床上，在黑夜的寂静中祷告了半个小时。我们不停地小声自语：“我很平静，世间一切都很平静，愿安宁、平静降临我们身边，神灵保佑！”

我临睡前，妈妈对我说：“你会做个好梦的，神灵的平静和慈悲已注入你的心灵，你会沉睡，并且睡得很香甜。”

我们的祈祷真的灵验了，第二天，上午十一点左右，彩虹鸽的身影出现在天空中，它高高地飞翔着。至于它是怎样挣脱束缚的，就由它自己讲给您听吧。现在，请展开您的想象吧：

哦，我能听得懂鸟言兽语的主人，我在那人的家里是一天也不想多待了！他给我吃的稻谷，全是生了虫的；给我喝的水，一点儿也不干净。说到底我也是一条生命啊，他为什么待我像石子和土块一样呢？！他还用气味恶心的渔线绑住我的翅膀，我还能再和他待在一起吗？绝不！

那天，他把我放在他们家白色的屋顶上，等他一下楼，我就扑棱着翅膀飞走了。

天哪，我的翅膀好重，没法继续飞，只好落在旁边小巷里一家商店的雨棚上。我在那里静静地等候，四处张望着，想寻求帮助。

我看到头顶飞过几只燕子，就向它们呼救，可是它们不是我的朋友，并没有帮助我。

这时我又看到了一只野鸽子，就再次呼救，可它对我也不理睬。

就在那时，一只黑猫向我走了过来，它弓起身子，准备猛扑过来。我也跳了起来，高高跳过黑猫的头顶，跳上雨棚上方一米多高的屋檐，那里正好有一个燕巢。这个动作难度很高，可我紧紧地贴在屋檐下面，一直忍到黑猫失望地离开。

我又往上跳了一米多高，来到了房顶，总算能休息一下了。

我的翅膀受伤了，为了减轻疼痛，我用嘴轻轻地梳理着羽毛。一根接一根，我用嘴从羽毛的根部顺着梳理。

突然，什么东西脱落了，是一根短小的羽毛上绑着的渔线在我嘴的按压之下松动了，渔线散发出恶心的腥臭味。

我强忍着臭味，继续梳理下一根羽毛，看哪，渔线又脱落了。哦，那种感觉真让人痛快！很快，我的整只翅膀都摆脱了臭渔线的束缚。

可就在那时，那只该死的黑猫又一次出现在我的面前。不过我现在能飞了，我飞了三米远，飞到了一幢高楼的雨棚上。那里是个不错的落脚点。

我瞪着那只该死的猫，它蜷起身子，向上一跳，正好扑在我刚刚摆脱的渔线上。我这才明白过来，原来吸引那只猫的并不是我，而是那根散发着腥臭味的渔线啊！

我马上开始处理绑在我另一只翅膀上的渔线。刚解开半只翅膀，夜晚就来临了。

我把身上最后一截渔线也扔掉了，静待黎明来临再起飞回家。因为猫头鹰总在黄昏后出来捕食，接着游隼也会出来活动，为了保住性命，我必须等待时机。

现在，我终于回家了！我真是饿坏了，渴极了！

我对新鸽子们做的第一件事，就是喂它们食物和干净的水，我从不让它们喝自己的洗澡水。由于彩虹鸽的翅膀沾满了鱼腥味，我专门给了它一个单间。连续三天，彩虹鸽洗了三次澡，终于可以归群了。顺便说一句，我爸爸坚持让我把钱退给那个购买彩虹鸽的人，他认为这个结局对那个人来说太惨了。说真的，当时我一点儿也不想听我爸的。不过现在想起来，我觉得他是对的。

两个星期后，在松开那些新买的鸽子的翅膀之前，我用美食收买它们，好让它们对我更加忠诚。每天，我都会喂它们吃用酥油浸泡过的小米粒和花生米（事先泡上一天），每次给它们一小把。这些鸽子非常喜欢吃这种食物，持续两天后，它们就养成了习惯，每天下午五点左右就会来找我，向我讨要这种用酥油浸泡过的小米粒和花生米。三天后，我松开了绑在鸽子们身上的绳子，不过是在四点四十五分的时候才敢松开。获得自由后，鸽子们就立刻飞上了天空。可是兴奋劲儿一过，它们又飞落在屋顶上，寻找用酥油泡过的小米粒和花生米！真可悲，我们人类只能通过讨好鸽子的胃来赢得它们的信任。

第二章
王者雄风

一天又一天，新买来的鸽子们飞得越来越远。快满一个月的时候，我把它们带到了离家八十多千米的地方去放飞。除了有两只飞回旧主人那里外，其余的鸽子都在彩虹鸽的带领下顺利返回了我家。

由谁来当那个众望所归的领头鸽，这个问题处理起来并不容易。为此，彩虹鸽要和另外两只公鸽——西雅和佳霍进行决斗。佳霍是一只纯黑的筋斗鸽，羽毛像黑豹一样乌黑发亮。它性格温和友善，但拒绝服从彩虹鸽的领导。你知道，信鸽们通常都争强好胜，喜欢炫耀自己。它们常常趾高气扬地在我家房顶上走来走去，咕咕咕地叫个不停，好像自己是至高无上的国王。如果彩虹鸽把自己当成拿破仑，那么西雅，这只绰号为“白钻石”的白鸽就会自夸为亚历山大大帝；而佳霍，这只绰号为“黑钻石”的鸽子，虽然不是信鸽，但估计也会自认为就是凯撒大帝吧！除了它们三个，别的公鸽也个个骄傲自负，不过已先后在决斗中输给了这三只鸽子。最后只剩下这三只鸽子进行决斗，决出整个鸽群的头领。

一天，西雅故意在佳霍太太的面前梳理翅膀上的羽毛，还对这位女士胡说了一通。佳霍太太是一只羽毛乌黑发亮，眼睛像红宝石一样红的漂亮母鸽。西雅的表演才开始没多久，佳霍就突然钻了出来，向西雅扑了过去。被激怒的西雅也毫不示弱，恶狠狠地对佳霍进行反击。两个家伙拳脚相加，扑棱着翅膀狠命拍打对方，用嘴狠狠地啄向对方。别的鸽子纷纷退到一边观战，彩虹鸽站在高处，冷静地观望着这场决斗，就像比赛的裁判。

六七个回合之后，西雅胜出。西雅的自信心大增，它走到佳霍太太跟前，像是在说：“太太，你的丈夫太软弱了，看我有多厉害！”可惜佳霍太太并不承认，它居高临下地向西雅鄙视了一眼，拍打着翅膀，跟着丈夫一起飞回家去了。

这回轮到西雅灰心失望了，它把这股愤恨转移到了彩虹鸽的身上。西雅突然发难，猛地向彩虹鸽发起猛攻。彩虹鸽没有防备，差点儿在西雅的第一轮进攻中就被打倒。西雅不停地对彩虹鸽又啄又咬又扯，扇动翅膀拍打彩虹鸽，打得彩虹鸽头晕眼花，差点儿倒下。彩虹鸽四处逃窜，疯狂的西雅紧紧追赶。两只鸽子在屋顶上转来转去，像纺锤一样旋转不停，我都已分不清它们是谁在追谁。它们的速度很快，让我看得眼花缭乱，直到它们停下来互相打斗在一起。拍打翅膀的声音炸开了锅，打落的羽毛乱飞。突然双方又胶着在一起，打得不可开交。

彩虹鸽似乎觉得这样下去很难分出输赢来，于是它从战斗中抽身出来，飞到了空中。西雅也跟着飞起来，快速地扑棱着翅膀。在离地不到一米的地方，彩虹鸽伸出利爪掐住了西雅的咽喉，并且越掐越紧，同时它的翅膀像钢制的枷锁一样，连珠炮似的狠狠地拍打着西雅，把西雅打得一败涂地，白色的羽毛纷纷落下。两只鸽子继续扭打在一起，像两条毒蛇一样互相撕咬。

最后，西雅失败了，它筋疲力尽地瘫倒在地上，一条腿也脱臼了。

彩虹鸽呢，它喉颈上的羽毛差不多全掉光了。可是它很开心，因为争斗总是要以这样或那样的方式来结束，它为自己的胜利感到兴奋。彩虹鸽心里明白，如果西雅不是在和佳霍的战斗中耗费了体力，自己也不会取得胜利。不管怎样，结果已出来了，这就很好了。

我细心地包扎、固定好西雅的伤腿。三十分钟后，鸽子们开始吃晚餐，好像已忘记了刚才发生的一切。不爱生气也不爱怀恨在心，这是鸽子的天性。这些鸽子的祖先都具有高贵的血统，它们从小就接受了良好的教育。

一月来临，天很冷，但很晴朗。鸽子大赛的日子也终于到来了。每个参赛的鸽群都要经过三个项目的测试：团队协作、远距离飞行和恶劣环境下的飞行。我们在第一个项目中得了冠军，但由于一次意外，我们无法参加后两项比赛了。关于意外的细节，我会在后面讲述。

下面我来介绍一下团队协作竞赛项目的规则。鸽群先从各自的家出发，假如远离了主人的哨声和别的指令，四面八方的鸽群就会聚拢在一起，连成一片。它们会自发地选出一名合适的鸽子作为领头鸽，其他鸽子会紧随其后飞行。这一切都发生在我们看不到的高空，鸽子们会依靠自己的智慧和本能来选头鸽，哪只鸽子飞得最快，飞在最前面，就会成为头鸽。头鸽往往自己都不知道大家为什么选它，也不会认为这是一种荣誉。

这时的印度，天气寒冷，温度已下降到华氏四十五度，相当于摄氏七度，这已是印度一年中最冷的时候了。

比赛时间是一个清冷的早晨。天空万里无云，像蓝宝石一般湛蓝。城市里的各式建筑色彩分明。城里的居民身穿琥珀色和紫蓝色长袍，登上屋顶对着神灵进行晨祷。他们张开双臂，用特殊的姿势迎接初升的太阳，祈求它的保佑。

很快整座城市沸腾起来，嘈杂声和各种气味开始弥漫开来。鸢鸟和乌鸦在天空中大声地叫着。喧闹声中，传来了吹笛人的悠扬乐声。与此同时，比赛开始的哨声吹响了，鸽迷们全都在自家房顶上挥舞着小白旗，数不清的鸽子瞬间腾空而起。成千上万的信鸽和筋斗鸽一起拍打翅膀的声音好像雷鸣一样，把鸢鸟和乌鸦吓得惊慌而逃。所有的鸽群都呈扇形，围绕着城市上空飞翔，好像被气流卷起的彩色云朵。

尽管它们越飞越高，可它们的主人依旧能辨认出自己的鸽群。即使鸽群汇聚成一大片，好像是一堵坚固的翅膀之墙，我也依然能通过它们飞行的姿势认出彩虹鸽、西雅、佳霍，以及别的五六只鸽子。每只鸽子都有自己独特的飞行姿势，如果鸽子的主人想提醒某只鸽子，引起它的注意，他只需吹出长短各异的哨声就能实现。只要能听到主人的哨声，鸽子就一定能发出回应。

最后，整个鸽群飞得那么高，即使是吹响号角它们也听不到了。到那时它们会停止在天空中盘旋，开始水平飞行。领头鸽的争夺战开始了。鸽群不停地从这个方向转向那个方向，激烈地角逐着。地面上的主人们只能专心地仰望高空，想要找出哪只鸽子飞在最前面。

有那么一会儿，好像佳霍领先了，可是还没等它飞到最前面，鸽群又突然转向，往右边飞走了。整体的队形开始混乱，就像赛马比赛一样。各式各样的无名鸽争先恐后地向前涌去，一转眼又被鸽群给推了回来。这样的情形一遍遍地重复着，连我们都看得没劲儿了。看起来，哪只鸽子会获胜还说不清楚。

突然，房顶上有许多人大叫起来："彩虹鸽，彩虹鸽！"不错，鸽迷们叫喊的正是彩虹鸽的名字。我清楚地看到我的鸽子领先了，我的彩虹鸽成了王中之王，它正引导所有的鸽子进行各种特技表演。哦，多么令人激动的时刻！彩虹鸽率领着鸽群从这头飞到那头，越飞越高。

早上八点的时候，天空中一只鸽子也不见了。我们纷纷卷起信号旗，下楼去上学。

中午时分，当我们再次来到房顶上，每个人都看到了鸽群正排着方队从天而降。看啊！彩虹鸽依旧飞在最前面。人群中再次欢呼道："彩虹鸽！彩虹鸽！"是的，彩虹鸽赢得了胜利，它连续四小时担任领头鸽，从起飞那一刻直到降落，都始终保持王者雄风！

接下来进入了这个比赛项目最危险的阶段，比赛的总裁判发出了解散的指令。我们各自的鸽群开始从大队伍中分离出来，返回各自的鸽窝。但解散过程不是一下子就能完成的，鸽群撤退时，需要留一些鸽子担任哨兵。彩虹鸽带领我们的小部队排成伞状，保护还没撤离的鸽子。这就是领导者的代价，也可以称为自我牺牲。

可怕的事情终于发生了。

在印度的冬天，秃鹰每年都来南方过冬。它们会用自己的利爪捕捉猎物。这是一种狡猾的猛禽，我认为它们是低等的鹰类。它们的外表类似鸢鸟，可是翅膀没有开叉。成对儿的秃鹰在一大群鸢鸟的上空轻盈地飞翔，它们可以看到猎物，而猎物看不到它们的身影。

就在彩虹鸽即将载誉而归的时候，我发现一对儿秃鹰正尾随在一群鸢鸟身后，就马上把指头伸进嘴巴里吹响警报。彩虹鸽明白了我的用意，立刻重新整理队形。

彩虹鸽居中领航，佳霍和西雅被派在队伍的两头警戒保护，它们以这样的队形向着鸽窝飞来。整个鸽群连在一起，好像是一只巨鸟。它们飞速俯冲。此时，它们已圆满完成空中守护任务，上午别的参赛鸽群都已安全返家了。

眼看鸽群飞速下降，一只秃鹰猛地俯冲到鸽群的前面，降落到和我的鸽群同等高度的时候，它张开巨大的翅膀迎面拦截。这不是什么新招，每只秃鹰都懂得这个把戏，这么做的目的是要惊吓鸽群。不用问，这个方法十次有九次会有效，鸽子们总体上来说都会被吓得不知怎么办才好，鸽群的阵势就会大乱，于是就会四散奔逃。

如果那样的话，鸽群可就中了秃鹰的诡计。可我们机灵的彩虹鸽才不上这个当呢，它临危不惧，奋力拍打着翅膀，带领鸽群从敌人下方一米五处镇静地飞过。它之所以敢这样冒险，是因为它知道敌人从来不敢扑向整齐的鸽群。

彩虹鸽刚飞出快一百米的时候，另一只秃鹰（可能是雌秃鹰）又降落在鸽群面前进行拦截。可是彩虹鸽根本不去理睬，带领着鸽群一直向着雌秃鹰飞过去。

真无法想象，从没有鸽子敢和秃鹰这样对抗，雌秃鹰吓得赶紧逃了。等它一转身，彩虹鸽立刻带领鸽群飞速下降，现在它们离房顶不到二百米了。

就在那时，雄秃鹰像一颗出膛的炮弹一样再次俯冲过来。这次它斜插进了队伍中间，张开双翅，大张着火钳一样的嘴巴，一路发出愤怒的狂叫。这回它的诡计生效了，鸽群不再是铜墙铁壁，整个儿队伍被截成了两段，一半由彩虹鸽率领，另一半却惊慌地四处乱窜。

关键时刻才能显现出彩虹鸽的鸽王本色，它紧紧跟着失散的那一半鸽群，迅速超过它们，很快就把队伍重新合二为一，集结在了一起。

雌秃鹰又闪电似的向着鸽群俯冲过来，差点儿就扑到了彩虹鸽的尾巴，并把彩虹鸽和它的队伍完全阻断开来。

鸽群突然失去了领导核心，鸽子们惊恐万分，自顾自地四散逃窜。彩虹鸽完全被孤立了，但是它依然没有畏惧，试图俯冲重组队伍。可它刚下降了三四米，雄秃鹰又冲了过来。彩虹鸽看到敌人逼近，来了几个漂亮的空翻。幸亏它这么做了，不这样的话，雌秃鹰就会从后面向它伸出利爪，那样彩虹鸽一定会被抓住。

与此同时，别的鸽子趁机逃回了家，它们纷纷落在屋顶上。

但是鸽群里也并不全是胆小鬼，里面还有一个勇敢的家伙，那就是外号为“黑钻石”的佳霍。等安顿好别的鸽子，佳霍一个空翻冲上高空，很明显，它是去搭救彩虹鸽的。

看到彩虹鸽有救兵前来，雄秃鹰决定改变策略，它不再追击彩虹鸽，转而扑向了佳霍。可是彩虹鸽随即下降，准备搭救自己的伙伴。

彩虹鸽闪电似的曲线飞行，带着雌秃鹰兜圈。雌秃鹰显然不如彩虹鸽那样灵活，气喘吁吁地跟在它身后。而老奸巨猾的雄秃鹰，盯准了目标，越飞越高，使佳霍陷入了困境。假如飞错方向，它就会被雄秃鹰抓住。可惜佳霍偏偏转错了方向，它在雄秃鹰下方直线飞行。雄秃鹰见状，立即收拢翅膀，闪电似的悄悄下降，像一个幽灵。

惊心动魄的一幕出现了，彩虹鸽不知道什么时候飞到了雄秃鹰和佳霍中间，目的在于搭救同伴，也是在吓唬敌人。可是，天哪！雄秃鹰非但没被吓到，反而伸出利爪，抓住了彩虹鸽。空中顿时飞落片片羽毛。彩虹鸽在敌人的利爪下拼命挣扎，我痛苦地尖叫起来。

说什么都没用了，雄秃鹰抓着彩虹鸽，绕了一圈又一圈，越飞越高，两只爪子调整位置更紧地抓住彩虹鸽。

在这里，我得交代一件让我觉得羞愧的事情。当时，我一心想要救彩虹鸽，根本没注意到雌秃鹰也俯冲下来抓住了佳霍。那一定是在彩虹鸽被抓住后的那一瞬间发生的惨剧。空中飘满了佳霍的羽毛，雌秃鹰用利爪牢牢抓住佳霍，佳霍并没有挣扎。

彩虹鸽就没这么老实，它在雄秃鹰的爪子下使劲扭动。雌秃鹰见状，想帮丈夫一把，让它能紧紧抓住彩虹鸽。于是，雌秃鹰飞到了雄秃鹰身边。就在那时，佳霍拼命挣扎了一下，雌秃鹰身体不稳，翅膀和雄秃鹰撞到了一起，使得雄秃鹰也失去了平衡，差一点儿就打了个滚儿。

彩虹鸽趁机逃脱了，天空中又是羽毛纷飞。它从高空下落，三十秒之后，气喘吁吁、浑身滴血的彩虹鸽终于安全地落在了屋顶。

我连忙把彩虹鸽托起来，替它检查伤情。它的两肋被抓破了，但是没有什么大问题。

我立刻把它带到了鸽子医生那里，医生用了半小时的时间替彩虹鸽包扎好伤口。

回到家，我把彩虹鸽放进窝里，可是我再也找不到佳霍了，它的窝空着。

我来到房顶，看到佳霍太太蹲在围栏上，往天空四处张望着搜寻丈夫的踪影。

接连几天，它都以同样的姿势在苦苦等待。但愿佳霍太太能感到一点儿安慰，因为它的丈夫是那样英勇无畏，牺牲了自己，解救了同伴。

第三章

战胜恐惧

过了很长时间，彩虹鸽的伤口才渐渐愈合。直到二月中旬，它在屋顶上还飞不到十米高，而且持续飞行的时间很短。不管我怎么赶它，它都赖在屋顶不动，即使飞起来，也过不了十五分钟就会落下来。刚开始我以为是它的肺出了问题，可是经过检查，证明它的肺部没有毛病。我又把它讨厌飞行的情绪归罪于心脏，心想也许是上次的意外伤及了它的心脏。但经过再次诊断，我的这种假设又被推翻了。

彩虹鸽的行为惹恼了我，我给老刚德写了封长信，向他详细描述了所发生的一切。后来我才知道那段时间他和几个英国人外出打猎去了。因为一直没有回信，我决定近距离地对彩虹鸽进行观察。一天又一天，我把彩虹鸽放在屋顶上，仔细地观察它的一举一动，可还是一无所获，我无法找出它讨厌飞行的原因。于是我完全放弃了希望，认为彩虹鸽再也不能重返蓝天了。

二月底的时候，我收到了老刚德从丛林深处传回的神秘便条。上面写道："你的鸽子被吓坏了，只要驱除它心中的恐惧，就能让它重新飞翔。"可是老刚德没教我具体该怎么做，而我实在想不出法子让彩虹鸽飞上高空。赶它离开屋顶也不是个办法，我把它从这个角落赶走，它又会飞到那个角落歇着不动。最让人不安的是，每当云彩的影子投射到它身上，或者是一大群鸟从它上空飞过时，彩虹鸽总会吓得发抖。不用怀疑，彩虹鸽肯定误以为那是秃鹰或者猎鹰又向它扑过来了。我这才相信彩虹鸽确实受到了极度的惊吓。怎样才能驱除它内心的恐惧呢？这事看来太难办了。如果我们还在喜马拉雅山，我会带它去找那位高僧，他曾经帮助彩虹鸽走出恐惧，可是在城市里面，我到哪里去找僧人？我只有耐心地等待着。

随着三月的到来，春天也来了。刚刚换过羽毛的彩虹鸽好像经历了一次蜕变，它的毛色像蓝宝石一样充满着光泽，漂亮得简直让人难以描述。一天，我无意中发现彩虹鸽正在和佳霍的遗孀交谈。春光中的佳霍太太明艳照人，在阳光的照射下，它的羽毛就像黑色的猫眼石，好像热带地区闪烁着星光的夜空。我知道如果让它们两个结合，对于它们的后代而言，并不是最佳选择，不过，或许佳霍太太能帮助彩虹鸽战胜恐惧，而彩虹鸽也能把失去丈夫的佳霍太太从郁郁不乐中解救出来。

为了增进它们的感情，我把两只鸽子装在一个鸽笼里，带到我的朋友雷佳那儿去。雷佳的家离丛林有三百多千米的距离。他所在的村子名叫冈其拉，位于河岸边。那条河流穿过了长满密林的高山，山里生长着许许多多的动物。雷佳是村里的祭司，他的家族世袭这个职位长达千年了。他的父母住在一幢宽敞的混凝土房子里，紧紧挨着村里的混凝土神庙。神庙被高高的院墙围绕，村民们每天晚上都会聚集在那里，听雷佳诵经。当雷佳在神庙中大声诵读经书时，外面会不时传来老虎的咆哮或是野象的长啸，它们正穿过狭窄的河道。这是个美丽却充满凶险的地方，在村子里倒是不会遇到什么危险，可是不用走多远你就能碰到任何你想找的猛兽。

我是坐火车去的，晚上才到冈其拉。雷佳和两名家仆到站台上来接我，一个仆人扛着我的包，另一个仆人提着鸽笼。他们各自提着一盏防风灯，雷佳特意给我也带了一个来。我们排着整齐的队伍前进，一个仆人在前面引路，另一个仆人殿后。走了一个小时后，我满怀疑惑地问道：“我们怎么在绕路走啊？”

雷佳回答道：“春天来的时候，向北迁徙的野兽常常从此路过，所以我们不能走这丛林中的近路。”

我叫了起来：“别胡说了！我又不是第一次穿过丛林。我们什么时候能到家？”

“还有半个小时吧。”

突然，我们脚下的土地好像裂开一样，响起火山爆发似的可怕的声音：“唏——嚯——嚯——嚯——唏！”

鸽笼里的两只鸽子被吓得惊慌地扑棱着翅膀。我紧紧抓住了雷佳的肩膀，可是他非但不对我表示理解，反而哈哈大笑起来。两个仆人也像他一样，放声大笑。

等他们止住笑，雷佳向我解释道：“你不是说自己是穿越丛林的老手了吗，怎么猴子叫几声就把你给吓住了？其实那些猴子是看到灯笼的光才被吓得尖叫的。”

“猴子？”我疑惑地问道。

“是的，很多猴子。”雷佳提醒我说，“每到这个季节，猴子们就会北迁。我们的到来让树上的猴子受到了惊吓，这就是真相。下次，你可别再把猴子的尖叫听成老虎的咆哮了啊！”

接下来一路都很顺利，我们很快就到了家，没发生什么意外让我再次出丑。

第二天早晨，雷佳又到神庙中履行祭司的职责去了，而我去寻找合适的房顶来放飞两只鸽子。起初，鸽子们有些不知怎么办才好，不过当我靠近它们，手里还捧着一大把用酥油浸泡过的谷粒时，它们就定下神来，放松地啄食这美味的早餐。那一整天我们都待在房顶上，我一直陪伴在鸽子左右，害怕它们会因为不适应新的环境而惊恐不安。

接下来的一个星期，两只鸽子渐渐把冈其拉当成了自己的家，它们之间的感情也日益深厚。看来我把它们从鸽群中隔离出来是非常明智的。到了第八天，雷佳和我惊喜地发现彩虹鸽开始求偶了。佳霍太太飞了起来，不过飞得很低，彩虹鸽紧紧追上。眼看就要被抓住，佳霍太太赶紧飞高了一些，并且掉头往回飞。彩虹鸽也模仿佳霍太太的动作，紧随其后。佳霍太太再次升高，可是这一次彩虹鸽突然止步不前了，开始在佳霍太太的下方绕着圈飞。虽然这样，我却能明显感觉到彩虹鸽的自信已恢复了。它是一只不可多得的好鸽子，终将战胜恐惧，振翅飞向高空，在那里自由自在地飞翔。

第二天早晨，两只鸽子飞得更高了，并且在互相嬉戏。突然，彩虹鸽拒绝再跟着佳霍太太，也不再原地盘旋，而是匆匆忙忙地往下降落。我被弄糊涂了，眼尖的雷佳解释道："有朵扇形的云遮住了太阳，阴影投射下来，一定被彩虹鸽误以为是敌人了。耐心点儿，等到云飘过去，那时……"

雷佳说得没错。没过多久太阳就出来了，阳光洒在彩虹鸽的翅膀上时，它立刻停止下降，开始在空中盘旋。佳霍太太原本一直陪着彩虹鸽往下降落，这时也停止了下落，停在离彩虹鸽大约三十米的上方。然后彩虹鸽开始升高，扇动着翅膀迎了上去。彩虹鸽在空中翻飞旋转，阳光照射在它身上好像水面泛起的金光。接下来，彩虹鸽不想落后，它开始带着佳霍太太飞翔。它们越飞越高，彩虹鸽完全克服了恐惧，并用智慧和力量征服了佳霍太太。

第三天，两只鸽子起了个大早，开始进行长距离的飞行。不一会儿，它们就飞过高山，消失在我们的视野里。也许它们已飞越了山峰，降落到了山的另一侧。它们就这样一直飞行了至少一个小时。

上午十一点，两只鸽子回来了，嘴里都衔着一根长长的稻草，看来它们是决定筑巢产蛋了。我认为是时候带它们回家了，可是雷佳坚持留我们再待一个星期。

接下来的每一天，我们都带上鸽子，去河对岸相对危险的丛林之中探险，在茂密的丛林中放飞它们。不过那里距离雷佳的房子仅有八千米远。彩虹鸽开始勤奋地练习自己的方向感和高空飞行的能力。换句话说，由于对配偶的爱以及环境的改变，彩虹鸽战胜了恐惧，完全治好了自己的厌飞症。

让我们记住这样一个跨越不同国界和语言的道理：我们所有的烦恼都来源于恐惧、担忧和憎恨。任何人只要被这三个恶魔中的一个抓住，另外两个也会跟随而来。没有哪只猛兽胆敢杀害在它面前表现得无所畏惧的动物。事实上，也没有哪一种动物肯轻易地丢掉性命，除非它已完全被恐惧吓倒了。总之一句话：对手的致命一击并不一定能打倒你，而你自己的恐惧能杀死自己！

第四章
肩负使命

八月的第一周，小鸽子才刚刚诞生，彩虹鸽就和西雅一起从加尔各答前往孟买，跟随老刚德踏上了为世界大战效命的旅程。西雅还没有交配过，但因为战争的需要，我还是派它和彩虹鸽一起出征了。

在前往佛兰德和法国战场之前，彩虹鸽意识到自己当爸爸了，这让我十分高兴。在鸽子世界里，成了家的鸽子总体上来说都会尽力返家，因为它的妻儿会召唤和等候它的归来。彩虹鸽与它的家人之间那种诚挚深厚的感情，形成了爱的纽带，让我坚信它能胜任传递情报的工作。只要它还活着，最后总会冒着枪林弹雨回到家。

也许有人会提出疑问：彩虹鸽的家在加尔各答，而战场远在万里之外，怎么能保证彩虹鸽不迷失方向呢？问得没错。可是不管怎样，彩虹鸽已有了妻子和孩子，它总会尽力飞回临时的巢穴，最后同老刚德一起返回自己温暖的家。

据说，彩虹鸽往返于战场和总司令部之间的时候，曾传递过很多重要的情报。最初，彩虹鸽只认老刚德这个主人，但是没过几个月，它和总司令也成了好朋友。

我年龄太小，不符合入伍的条件，不能带着鸽子上前线，老刚德只好替我出征。在从印度到法国马赛的漫长旅程中，西雅、彩虹鸽和老刚德很快成了好朋友。我见过的各种动物，没多久都能和老刚德建立起很好的友谊，而且我的鸽子曾经与老刚德打过交道，所以就更容易听从老刚德的指挥了。

从一九一四年九月到一九一五年春天，印度军队驻扎在佛兰德。在此期间，老刚德一直住在总司令部附近，西雅和彩虹鸽被不同的部队带往前线。写着情报的小纸片通常重量不会超过三十克，它们被绑在彩虹鸽的脚上。被放飞后，彩虹鸽会一直向着总司令部飞去，它知道老刚德在那里等它。总司令收到情报后，总是亲自破译密码并发回指令。听说总司令也非常喜爱彩虹鸽，对它的工作给予了极高的评价。

在一次次的往返过程中，到底发生了些什么故事，还是由当事人——彩虹鸽自己来讲述比较好。俗话说：梦中之事，只有梦中之人最明白。

我们乘船渡过了印度洋和地中海那片黑色的水域，然后转乘火车，经过了一个非常奇怪的国度。虽然刚到九月，这个叫法国的国家已冷得跟印度南部的冬天一样了。我以为会看见皑皑雪山和参天大树，因为我本来以为我们已接近了喜马拉雅山。可是这里的山还没有最高的竹子那么高，山丘非常低矮。我真的想不明白，为什么地势这么低的地方却会这么寒冷。

最后，我们终于来到了战场前线，后来我才知道我不过是靠近战场的边缘，即使这样，也能听见战场传来的炮火的轰隆声。

作为一只普通的鸽子，我自然痛恨任何喷火的玩意儿，不管它的尺寸和形状怎样。那些铁家伙像恶狗似的狂吠，喷出死亡的火焰，反正我不喜欢。

在战场上待了几天后，我们开始试飞，只有西雅、我，以及别的四只鸽子是老乡。

你知道西雅是个很鲁莽的家伙，我们从一个村子的房顶上飞起来才一会儿，它就冲着轰隆作响的地方飞去了。

西雅想看清楚到底是什么东西在发出这种怪声音。

一个小时后，我们到了那里。哦，耳膜都快被震破了！一个个大火球，闪电似的从隐藏在树林里的大铁狗口中喷射出来。它们就落在我们脚下，砰地爆炸了，发出咝咝的声音。

我被吓坏了，使劲往高处飞去，可是高空里也不安全，不知道从哪里突然冒出了许多巨鹰，它们呼呼长啸着。

这可怕的景象吓得我们赶紧逃跑，逃到老刚德那里去，他会等我们的。

可是老鹰怎么会轻易地停下来，已有两只老鹰追了过来。我们加快速度，万幸的是，它们没追上来。可是没想到，老鹰们向我们的营地扑了过来。

这下糟糕了，它们像狡猾的臭鼬一样，想扑到我们的鸽笼里来一口把我们吞进肚子。

不！老鹰突然停止了咆哮，倒地而死。两个人从巨鹰的肚子里跳出来，然后渐渐走远。老鹰怎么把人类吞进肚子里去的呀？被吞进肚子里的人，又怎么还能活着出来呢？

没多久，执行完任务的两个人又回来了，他们重新爬进老鹰肚子里。伴随着一阵呻吟声和咆哮声，老鹰又活了过来，重新飞上了蓝天。这下我明白了，那些老鹰一定是人类的空中战车！

直到这时，我才松了口气。

起初，周围的一切都显得那么奇怪，不过我们渐渐适应了。可是怎样在这个战火纷飞、枪炮轰鸣的地方睡觉，这一直是个困扰我们的大难题。在军队的那几个月里，我就没睡过一天好觉。我和西雅总是神经紧张、焦躁不安。

我的第一次历险发生在前线，为罗赛耳达传送情报的时候。在那里，各式各样的铁狗狂吠着，夜以继日地喷射着火焰。

我要先跟你介绍一下罗赛耳达这个人，他手下有众多来自加尔各答的印度士兵。他把我装在一个罩着黑色帆布的笼子里，和他的四十人小分队出发去了前线。经过几天几夜的艰苦跋涉——我在黑乎乎的笼子里推测的时间——我们终于到达了目的地。

罩在笼子上的黑布被揭开了，可周围除了墙，我什么都没看到。包着头巾的印度士兵在沟里就像小虫子一样匍匐前进。头顶上，机器老鹰飞来飞去，发出可怕的轰鸣声。

我第一次尝试把各种声响区分开来，各种爆炸声其实强度都有所不同，靠着耳朵是能辨别区分的。而周围士兵们的喊叫声很难听明白，我不知道他们是在对我说什么。

士兵们经常松开铁狗们的口罩，放它们出来尽情狂吠，喷出一连串的火舌。接着又传来鬣狗的凶狠恶毒的笑声，成百上千的士兵把这些小狗打得又喘又咳。

这声音很快就淹没在头顶盘旋的机器老鹰们的低声轰鸣中。机器老鹰成群结队地在天空中飞行，发出疯狂的吼叫。

罗赛耳达举起他手中的小铁狗冲着天空嗒嗒嗒乱吼了一气。看哪，一只机器老鹰被打中了，应声而落。低沉的声音随即响起来——轰隆轰隆轰隆隆！

虎啸一样的声浪滚滚而来，顷刻间吞没了其他所有细碎的声响。呼啸声一浪盖过一浪，轰鸣声一阵紧过一阵，好像巨石滚滚，山崩地裂。

为什么美妙的事物和死亡仅仅相隔一步之遥？那撕裂我灵魂的音乐还未停止，巨大的火球就像暴雨似的落在了我周围，士兵们纷纷倒地而死。

浑身是血的罗赛耳达，匆匆在纸上写了几个字，就把纸条绑在我的脚上，把我放出鸽笼。他的眼神告诉我，他正处在非常危险之中，希望老刚德能为他搬来救兵。

你是了解我的，主人，我马上就起飞了，可是眼前的场面让我的翅膀僵住了。战壕上方的天空就像一片火海，

怎么冲出去是最急需要办的事。我用尾巴当舵，调整飞行的方向。

不管我向哪边飞，火舌都像梭子一样在我上方穿梭，可我必须冲上高空，因为我是彩虹鸽，是我父亲引以为傲的儿子。

没多久，我正好赶上了一小股上升的气流，它卷着我不停上升，我的翅膀好像折断了一样，身体像树叶一样轻飘着。气流把我的身体颠来倒去，我不停翻滚着。最后，我终于冲出密集的火力网。

可是后来我两眼抹黑，根本看不到方向，我自言自语地说："去找老刚德，去找老刚德！"我每说一次，这句话就会鞭策着我，让我有更大的勇气奋力飞向高空。

我飞得更高了，观察了一下四周，然后向西边飞去。就在那时，我的尾巴被流弹击中了，有一半的羽毛被烧坏掉落了。

我非常生气，尾巴可是我的骄傲，平时别人碰一下都不行！算了，幸好我即将安全返回目的地。

可就在我准备降落的时候，两只巨鹰在我上方展开了争斗。我没听到它们的啸叫，也没看清它们的模样，它们相互厮杀与我没关系，可没想到它们在我上方喷射出团团火焰。它们越战越勇，火舌也越吐越密。我尽力躲闪，使劲往下俯冲，一心期望赶紧遇到树林。

当然，那里是有树林的，可是大多数的树都被炮火轰炸，只剩下了枝干和树桩。所以我只好走“之”字形路线，在残存的树干间穿行。

最后，我终于回到了家，停歇在老刚德的手腕上。老刚德割断细绳，带着我和写有情报的纸片去见总司令。

总司令读完罗赛耳达给他写的纸条后，拍了拍我的脑袋，满意地嘟囔了几句。

等到罗赛耳达身上负的几处轻伤康复之后，我再次被带往前线，这次和我同行的还有西雅。我立刻明白了，我们这次传递的情报一定非常重要，所以他们需要带上两只信鸽，来保证传递任务没有差错。

天气非常寒冷，我感觉就像住在冰雪世界里一样。雨一直下个不停，路面泥泞，脚一落上去就会陷进流沙一样的泥巴里，寒气浸透了双脚。

我们到了一个陌生的地方，那里不是战壕，而是一个小村庄。周围战火纷飞，硝烟弥漫。从士兵们的表情来看，这是一个神圣的战略要地。尽管死神的红色火舌扫遍了这里的房顶、院墙和大树，但是他们继续坚守着，决不放弃。

过了一会儿，轰隆隆的炮声停了下来，整座村庄——

事实上只剩下废墟了——暂时安全了。天色越来越暗，天空更低了。阴冷和潮湿紧紧地抓住我的羽毛，像是要把它们拔下来一样。因为一直在笼子里一动不动，是会被冻死的，所以我和西雅紧紧地依偎在一起相互取暖。

敌我双方又开始交火了，四面八方都有炮火在纷飞，小村庄被硝烟笼罩着。敌人已切断了我们与后方的联系，接着又开始发射火箭炮。虽然刚过正午，周围却又黑又潮湿。

我和西雅被放飞了，身上还各自带着情报。没飞多远，我们就被浓雾吞没了，顿时两眼漆黑。又冷又湿的雾气笼罩着周围的一切，不过我事先早已想到。我照以前经验来应付眼下所处的困境，不管是在战场上还是在印度，照样奋力往高处飞去，可是每次最多只能上升三十厘米，我的翅膀被雾气打湿，喉咙也被呛得不停地打喷嚏。

感谢保佑鸽子的神，我终于可以看到几米远的地方了！于是我振翅高飞，可是眼睛开始感到刺痛。我顿时意识到，我必须闭上眼膜才能保证自己不失明。眼膜是我的第二层眼皮，我能穿越沙尘暴可全靠了它。

原来，刚才的雾气是人类释放的浓烟，不仅气味刺鼻，还会熏伤双眼。我闭上眼膜，屏住呼吸，奋力往上飞去，西雅也跟我一起飞了起来。浓烟快把西雅呛得无法呼吸了，不过它并没有放弃。

最后，我们终于冲出了那有毒的浓雾，飞到了空气新鲜的地方。我睁开双眼，透过灰色的天空，看到了远处的营地，我们一起向目的地飞去。

刚飞到一半时，又冲出来一只可怕的绘有黑色十字的机器老鹰，它向我们吐出火舌……我们拼命躲闪，飞到它的尾翼后面，这样它就打不到我们了。

时间飞快地过去了，我们不能总跟在机器老鹰屁股后面转，罗赛耳达和我的朋友们还困在被毒气笼罩的村庄里，我们必须尽快把情报送到，才能把他们营救出来。

就在那时，机器老鹰耍了一个花招，它掉头向自己的营地飞去。

眼前就是我们的营地，再走一半路就到了。于是我们放松了警惕，转身飞离了机器老鹰，以最快的速度向前飞去。

刚飞不远，那只可怕的怪物又掉头追了过来。幸好，它过一会儿才能追得上我们。很显然，我们已进入了自己的领地上空。可那只怪物上升到与我们同样的高度，子弹像雨点儿一样密集地向我们飞过来，我们不得不左右躲闪，并且开始俯冲。我让西雅在我的下方飞，这样我可以用我的身体保护它。

可是不知道从哪儿又钻出一只机器老鹰，幸好它是向着敌人射击而不是我们。我们立刻放松下来，开始并排飞翔。

突然，一颗子弹“嗖”地从我身边飞过，击中了西雅的翅膀。可怜的西雅旋转着掉了下去，还好，落在了我们的营地上。看到西雅阵亡，我用闪电的速度向前飞去。

一到营地，我就被带到总司令那里。他拍了拍我的脊背，这可是平生第一次，我意识到自己传送的是一份多么重要的情报！

年老的司令官刚读完纸条上的字，就拉响了一种能发出丁零零声音的奇怪装置，并举起一个大喇叭向着里面大喊起来。

老刚德把我带回了窝，我趴在里面，回想起了西雅。这时，我身下的大地剧烈地晃动起来，数不清的机器老鹰像蝗虫一样飞上天空，咆哮着、轰鸣着。地面上无数的铁狗轰隆隆地狂吠。紧接着，低沉的炮声隆隆地响起。

老刚德拍拍我的头说：“你使光明和白日重现了！”

可我根本没见到一点儿光亮，天空一片灰暗，西雅死了，我是多么孤单，多么疲倦！

第五章
艰险重任

十二月的第一个星期，老刚德和彩虹鸽被派去独立完成一次侦察任务。

他们的目的地是距伊普尔、阿尔芒蒂耶尔和阿兹布鲁克不远的一处森林，森林前方就是敌营，他们的任务是找到敌方地下军火库的准确位置。如果找到了，那么老刚德和彩虹鸽，或者独自上路，或者一起同行，带着绘制好的地图回到英军总部。

在一个晴朗的清晨，彩虹鸽被带上飞机，在一片森林上空飞行了三十千米，这片森林一部分由印度军队驻守，另一部分归德国军队管辖。

飞过德国辖区的上空时，彩虹鸽被放飞了。它飞越了整片森林，等到熟悉了地形后，又飞回了驻地。这样做的目的是让彩虹鸽熟悉飞行路线，并对要去完成的任务有个初步的了解。

因为这个地区的纬度比纽约还要高十度，所以彩虹鸽和老刚德出发的那天下午，大约四点钟太阳就落山了。老刚德穿上棉衣，把彩虹鸽藏在衣服里，准备妥当后，他们出发了。他们乘坐的是一架救护飞机，一直飞到印度军队设在大森林里的第二道防线。漆黑的夜色中，在情报人员的带领下，他们向前沿阵地进发了。

很快他们就飞到了无人区。

那里碰巧有一片森林，大多数的树木还没有被炮火摧毁。老刚德既不懂法语，也不懂德语，英语就会三个词："好""不好"和"很好"。可现在，这个语言不通的家伙需要独自前往森林，找出德军的地下军火库。陪伴他的，只有衣服里面藏着的彩虹鸽。

老刚德首先要了解目前的环境，在地理环境方面，那片森林的气候和喜马拉雅山的冬天相似，树枝光秃秃的，地上覆盖着秋天凋零的树叶和霜冻。

因为树叶已落光，没有了任何遮蔽，所以老刚德很难在森林里隐蔽好自己。夜色漆黑，森林里无比阴冷。不过老刚德有一项常人没有的本领，那就是在黑暗中能辨别物体和方向的能力。他的嗅觉灵敏得像野兽一样，他知道怎样才能穿越无人区。更幸运的是，当晚一直刮着东风。

老刚德在树干之间穿行，以最快的速度接近目的地。当德国士兵靠近时，老刚德灵敏的鼻子会提前预知有敌情，他会像猎豹一样爬上树藏起来，静等时机。

德国士兵连一点儿声响也没察觉到。如果是在白天，老刚德早就被发现了，因为他一直光着脚在结冰的地面上行走，脚上早就流血了，在身后留下了串串清晰的血脚印。

途中老刚德遇到了一次使人惊心动魄的场面：当他爬上树坐在一根树枝上，静等德国士兵从树下经过时，他听到从另一根树枝上传来了低语声。

老刚德马上意识到那是一个潜藏在树上的德军狙击手，他赶紧低下头，认真地倾听着。

那个德国人说了句“晚上好”，就跨过树枝滑下了树。原来德国士兵把老刚德当成了自己的同伴，以为是前来和他轮换岗位的。

过了一会儿，老刚德也从树上溜了下来，并沿着德国士兵的脚印往前走。尽管周围一片漆黑，可是老刚德光着脚依然能感觉到路面上人们踩过的脚印，这对老刚德来说就像囊中取物一样。

最后老刚德来到了一个有许多敌军的露营地，他只能悄悄地绕到他们身后，加紧赶路。

突然，老刚德听到脚边传来了奇怪的声音，就停下脚步认真听着，没错，正是那种熟悉的声音！他耐心地等着它走近，有个动物啪嗒啪嗒地走了过来，老刚德向着声音传来的方向走去，听见一声低沉的咆哮。老刚德非但不怕，反而喜出望外。

一名曾在猛虎出没的丛林中度过无数个夜晚的猎手，当然不会害怕野狗的咆哮。

很快，两只发着红光的眼睛出现在老刚德面前。老刚德仔细闻了闻空气中传来的气味，啊，这条狗身上没有一点儿人的气味，证明它是条野狗。

那条狗也探出鼻子嗅着气味，想弄清楚自己面前到底站着个什么生物。因为老刚德身上没有散发出因恐惧而产生的气味，所以野狗竟然上前一步，在老刚德身上蹭来蹭去，用鼻子使劲地嗅来嗅去。它的鼻子恰好碰到了彩虹鸽，鸽子的气味随风吹送到它的鼻孔里，于是野狗判定站在它面前的这个人是一个善良没有伤害的家伙。野狗摇着尾巴，呜呜呜地叫着。

老刚德没有抚摸野狗的头，而是伸出手去让它看和闻。紧张的时刻到来了：野狗会咬他的手吗？又过了一会儿……野狗舔了舔老刚德的手，高兴地呜呜叫起来。

老刚德心想：这是一条没有主人的猎狗，也许它的主人已死了，可怜的家伙只能像一匹狼一样在野外生存，靠着掠食一点儿德军的补给为生，因为它明显没吃过人肉，这就好多了。

老刚德轻轻地吹了一声口哨，这是全世界的猎人世代通用的呼叫口令，意思是“在前面带路”。

野狗真的跑到前面开始带路，它熟练地绕过德军的露营地，动作十分敏捷。绕行了几个小时后，他们到达了目的地。

老刚德准确地发现了德军的地下军火库，而且还意外地找到了他们的食物补给站。引路的野狗从一个暗藏的洞口钻进去，半小时后，它叼着一大块肉出现在洞口。老刚德凭着气味判断那是块牛肉。野狗把它的晚餐放在结了霜的地面上，开始享用。

老刚德把肩上一直挂着的靴子取下来，穿好后观察四周的动静。根据天上星星的位置，他判断出了自己所处的方位，他安静地在原地等待了一段时间。

天渐亮了，老刚德从口袋里取出指南针，他十分有把握画出目的地的方位图。

就在那时，野狗突然跳出来咬住了他的外套，似乎希望继续带领老刚德到某个地方去。

它走在前面，老刚德紧随其后，很快他们就来到了一个覆盖着厚厚的荆棘和结了冰的藤蔓的地方。这样的路恐怕只有动物才能爬进去，野狗匍匐着从长满尖刺的荆棘丛下爬了进去，转眼就消失了。

老刚德画了一幅星星的方位草图，并画出了指南针指示的准确方位。他把图纸绑在彩虹鸽的脚上，然后把它放飞。老刚德目送着彩虹鸽从这棵树飞到那棵树——彩虹鸽总会在树上停留片刻，梳理一下羽毛，再继续飞往另一棵树。过了一会儿，彩虹鸽用喙整理了一下脚上绑着的地图，好像想确认情报是不是系牢了。然后它就飞到最高的一棵树上，蹲在上面开始观察地形。

就在老刚德抬头观望的时候，他感到有什么东西在拉他。老刚德低下头看向脚边，野狗正把他往荆棘丛下的一个洞里拉。老刚德弯下腰，趴在地上，跟着向导往里爬。突然，他听到了翅膀扑棱的声音，接着传来一声枪响。

老刚德已没有时间爬起身来看彩虹鸽到底是死是活，他继续往里爬，突然就滑了下去，掉进了一个两米多深的洞穴中。里面一片漆黑，可是老刚德顾不上这么多了，使劲揉着自己的脑袋。

直到最后，老刚德才明白自己到了哪里，原来那是一个结了冰的水坑。那地方像个贼窝，被密不透风的荆棘灌木丛覆盖着。即使到了冬天，灌木和藤蔓上的树叶早已掉光，这洞里白天也都是漆黑一片。野狗继续追随着老刚德，正是它把老刚德带到了安全的地方。可怜的野狗因为有了喜欢的朋友相伴而满心欢喜，它希望老刚德陪着自己一起玩耍，可是老刚德因为过度疲乏很快就进入了梦乡，而此时不远处依旧枪声四起。

三个小时后，野狗突然呜呜叫了起来，随即发疯似的狂吠不停。

没多久，可怕的爆炸声响了起来，地面开始晃动。野狗无法忍受这种巨响，就使劲咬着老刚德的袖子不松口。爆炸声一阵高过一阵，老刚德栖身的洞穴像个摇篮似的摇来晃去，即使是这样，他也不愿意离开这个藏身之地。

他自言自语地说："哦，彩虹鸽啊，你这只了不起的信鸽，你多么出色地完成了任务，一定是你把情报顺利送到了司令官的手中，这就是他雷鸣似的回应声。啊，你就是飞鸟中的珍珠！"而在洞外，飞机空投下来的炸弹引爆了德军的地下军火库。

一直拖着老刚德的衣袖往外拉的野狗，此时突然呜呜低鸣，全身发起抖来，就像发高烧时的症状。原来是有一样东西飞了过来，砰的一声落在了附近。野狗绝望地长啸一声，跳出了地洞。老刚德也跟在它的后面，可惜太晚了，他的身子才爬出来一半,震耳欲聋的爆炸声就响了。一阵剧痛向老刚德的肩膀袭来，他被一股巨大的力量抛了起来，又重重地摔回地面。老刚德只觉得眼冒金星，眼前一黑就晕了过去。

一小时后，老刚德苏醒过来，一睁开眼睛，就听到耳边传来了印度语。为了更清晰地听到自己的乡音，老刚德努力抬起头。可是他立即感到了一阵剧痛，老刚德明白自己中弹了，也许还会失去性命。可一听到周围的人在讲印度语，老刚德就高兴起来，这说明是印度军队，而不是敌军攻占了这片森林。他欣慰地对自己说："啊，我终于完成任务，死也瞑目了！"

第六章

面对死神

执行任务的前一晚，我几乎一夜没睡。老刚德根本不知道我是醒着的。你想啊，老刚德跑起来像敏捷的鹿，爬起树来像松鼠，甚至还捡了条野狗回来做伴，躺在这家伙的怀里，你说我怎能睡得着……除了这个，还有一个原因也让我在这狭窄的空间里无法合眼——他的呼吸毫无规律，有时猛吸一口长气，有时又急促地喘。我宁可在暴雨天的露天里睡，也不愿待在这家伙的外套里。

还有那条野狗！我一辈子也忘不了它。

老刚德刚碰到野狗的时候，我十分惊恐，幸好它没闻出我的气味。不过空气里传来的气味却告诉我，虽然这条狗给我的感觉像个幽灵，但是它对我们是没有恶意的。我永远都不会忘记它的脚步声传来的那一刻：它迈着轻盈的步子，走起路来像只猫。

它一定是条野狗，因为在城市里待过的狗都很吵闹，它们根本学不会静悄悄地走路。

在人类社会中生存的动物总会变得大模大样、粗鲁吵闹。可这条狗是一只真正的野狗，走起路来不发出声响，就连呼吸也是没有声音。可是，我是怎么知道它在旁边呢？是飘上来的气味把它暴露了。

经过一个难熬的夜晚后，老刚德终于把我放飞了。可是我已认不出来他是在什么位置把我放飞的，于是我从一棵树飞到另一棵树来找到自己的方位，这样会耽误时间，让我很担忧。

这时天已大亮，树上到处都是敌人虎视眈眈的眼睛，那些陌生的蓝眼睛正透过望远镜监视着四周。有个士兵就在旁边的树梢上，距我仅有一步之遥，但他并未察觉到我的到来，因为那时周围正枪炮声四起。

可当我飞起来的时候，那人看到了我。如果不是我赶紧飞进树丛里藏了起来，说不定他会射中我。我决定从一棵树跳到另一棵树上去，不到安全区域不起飞。

我就那样跳了半小时，前进了还不到一千米。最后，我的脚实在没劲儿了，我决定飞起来，不管危险不危险了。

很幸运，没人看到我飞起来。在空中兜了个大圈后，我飞上了高空。从我的位置俯瞰下去，森林中的参天大树看起来就像小树苗一样小了。

我向四周警觉地观望着，发现从东边飞来一大群飞机，在曙光映照下，发出闪闪金光。

我不能再犹豫了，不然敌机就会向我冲过来。于是我开始往西边飞，不料又被树上的狙击手盯上，他们向我开火了。

当我在他们所在的树上空盘旋时，这些德国人还无法确定我是不是他们的信鸽，可就在我往西边飞的那一刻，他们立刻意识到我一定是敌方的信使，就疯狂地向我扫射，要把我击落下来，看看我的脚上到底绑着什么情报。

天气太冷了，我如果再继续高飞，会被冻僵的。可是，我不能让敌机瞄准我。于是我决定继续向西飞，敌军的子弹再次在我面前织成死亡之网。

我没有其他的选择，要么拼死冲出去，要么被追来的敌机射死。

敌机越飞越近，我拼命向西边冲去。老天保佑，我一个月前受伤的尾巴现在已重新长出了羽毛。如果没有尾羽的话，完成任务的难度就会加倍。

我努力向我们的营地飞去，敌人的火力更猛了。显然，所有的狙击手和战壕里的士兵都在向我扫射。我沿着“之”字形路线左右突围，在空中盘旋，空翻旋转，用尽了我所有的特技和花招，来迷惑狙击手和密集的子弹。这些花招很费时间，在我绕弯飞行的时候，一架敌机趁机追了上来。面对我这么小的目标，敌机一点儿也不珍惜子弹，在我的上方和后方使劲扫射。

没别的办法，我只能继续向前飞。我以风的速度向前冲去。嗒嗒嗒！我中弹了！

我的大腿根受了伤，绑着地图的那只脚立刻耷拉了下来。哦，太痛了！可我没有时间注意疼痛，因为敌机还在苦苦地追赶我，我只有艰难地向前飞去。

我总算看到我们的营地了。我开始下降，敌机也跟着俯冲。我试着空翻，可是根本不行。我的伤腿让我什么花招都耍不成了。

嗒嗒嗒，我的尾巴也被打中了，羽毛纷纷飘落，它们模糊了敌军的视线。趁这个机会，我沿着一条斜线向我们的营地冲了下去，可不小心飞过了头，只好又绕回来。紧接着，我看到了一个奇怪的场面——敌机被我们的人打中了，它摇摆歪斜着栽了下去。可就在坠落之前，敌机又撞断了我右边的翅膀。

看着它在空中熊熊燃烧并坠毁，我觉得很解气。这时剧痛向我袭来，我失去了知觉，不知道痛苦，也感觉不到快乐，只觉得一股大山一样重的力量把我拉了下去……

我被送到战鸽医院住了一个月，医生接好了我的翅膀，缝好了我的断腿，将其复位。但他们没办法让我重返蓝天。不知道为什么，每次我一飞起来，耳边就传来可怕的枪炮声，眼前就好像有子弹嗖嗖飞过。于是，我一下子就被吓得冲回地面。你会说，那不过是一种错觉。也许是吧，可是它们给我的感觉就像真的一样，我翅膀会变得瘫软无力，浑身都在颤抖。

还有一个原因：老刚德不在身边，我一点儿也不想飞。我怎么能站在一个我根本不认识的陌生人的手臂上起飞呢？我们鸽子对生人可没兴趣。

最后，他们只好把我装进笼子，带到老刚德住的医院里，让我留在他身边。

第一眼看到老刚德，我几乎都没认出他——他的眼睛里充满了恐惧。我知道恐惧的表情是什么样子的。所有的鸟兽都知道，我为老刚德感到难过。

可是看到我，老刚德高兴得眼睛一亮，眼神里的那种恐惧顿时消失了。

他从床上坐起身来，把我放在手心，亲吻我受伤的脚，那传送过他发出的情报的双脚。接着他拍了拍我的右翅，说道："你忍受剧痛为主人和他的朋友们传递情报，你替所有的鸽子赢得了尊敬！"

他的谦卑感动了我，我知道我比他差远了。飞机撞断我的翅膀后，我是侥幸才落入我方营地，如果换成了德军的战壕，后果不敢想象……想到这些，我就禁不住浑身发抖。天哪，还有那条野狗，它是我们真正的朋友，是老刚德的救命恩人，它现在在哪儿呢？

第七章

重获勇气

老刚德接过话头说："那条狗以前的主人可能是个法国人，在战争刚开始不久就阵亡了，也许也是被德军打死的，德军还把他的家洗劫一空，一把火烧了他家的仓库。受了惊吓的狗逃进了树林，藏身在浓密的荆棘丛里，远离了追捕者的视线。它的藏身处很宽敞，有间小屋子那么大。里面漆黑阴森，像个墓穴。这条狗变得只在夜间才出来寻找食物，由于天生是一只猎犬，所以日复一日的野外流浪生活让它迅速恢复了野性。"

"这条狗遇见我的时候，我的平静让它惊呆了。我的身上没有散发出任何恐惧的气味，我也许是它数月以来碰到的第一个不怕它的人，别的人本能的反应估计都是害怕它向他们发起攻击。”

“当然，野狗认为我也和它一样饥饿难忍，正在四处找食，所以它才会把我带到德军的食物补给站。通过一个地下通道，它爬进了巨大的食物仓库，并叼了一大块肉来给我吃。于是我判定，德军一定在这个地方挖了不少地窖来储藏各种东西，不只储藏粮食，还有油料或者炸药，我就把这些情况画在了地图上。感谢上帝，事实证明我的推断是正确的。好了，我们换个话题吧。”

“说句真心话，我厌恨讨论战争。你看，夕阳映红了喜马拉雅山，为珠穆朗玛峰披上了金色的霞光，让我们祈祷吧——

神灵啊，
请引导我吧，
从梦幻走向现实，
从黑暗走向光明，
从喧闹走向宁静！”

祈祷完毕，老刚德默默地离开我家，踏上了新的旅程，他要从加尔各答去辛加礼拉附近的寺庙。

在我讲述后面这段历险之前，我必须先告诉读者老刚德是怎么从法国战场转移到我家里来的。

一九一五年二月底的时候，彩虹鸽已无法再继续执行任务了。作为彩虹鸽的指挥者，老刚德并不是军人。除了老虎和豹子，他这一辈子还从未杀过生。

当时老刚德的伤势很重，就和彩虹鸽一起退役，被送回印度。三月，他们回到了加尔各答。我看到他们两个的时候，简直无法相信自己的眼睛：老刚德和彩虹鸽都面带着恐惧，身体极度虚弱。把鸽子交还给我后，老刚德才启程前往喜马拉雅山。他向我解释了一些事情。

他说："我需要疗伤，我得驱除内心的恐惧和怨恨。我目睹了太多人类相互残杀的惨烈场面。我之所以退役，是因为我得了一种重病——恐惧症。我要一个人回到大自然，去治疗我的病痛。"

于是他出发前往辛加礼拉的寺庙，希望通过祈祷和打坐来治愈伤痛。

与此同时，我也在尽全力医治彩虹鸽。彩虹鸽的太太和已长大的小鸽子都帮不上忙，小鸽子视彩虹鸽为陌生人，因为彩虹鸽对它们表现出了一副很不关心的样子。不过它太太倒是对它很热情，只是也无法让彩虹鸽再次飞上天空。除了偶尔跳几下，彩虹鸽一点儿也不愿意动，什么刺激都无法激励它重返蓝天。

我请了最好的鸽子医生来帮它诊断，可是医生说彩虹鸽的翅膀和腿都已没事了，它的骨头和双翼也都是完好的，伤病已好了，可彩虹鸽就是不愿意飞。它甚至不愿意张开右边的翅膀，除了跑和跳外，彩虹鸽习惯了保持单脚站立的姿势。我本来也不太在意这件事情，可是彩虹鸽和它的太太偏偏在这个时候又开始筑巢，准备孵蛋。

四月中旬，暑假开始的时候，我收到了老刚德写来的信，信里写道：“你的彩虹鸽现在不适合繁衍后代，如果现在母鸽已产蛋，请一定把蛋毁掉，不管怎样都不能把这样的蛋孵化——一个患有严重恐惧症的父亲，只会带来体弱多病的孩子。把彩虹鸽带到我这儿来，我的病现在已明显好转，快带它来，那位圣洁的住持想要见你和彩虹鸽。还有，那五只燕子这个星期已从南方飞回寺庙了，他们一定能让彩虹鸽转移注意力，让它重获幸福！”

我听从了老刚德的建议，把彩虹鸽和母鸽分别放在两个不同的鸽笼里，向北进发了。这次的决定很匆忙，使我的父母比往年提前了几个月搬进丹忒牡的住宅。

我们在那里一直住到四月的最后一个星期，接着，我就带着彩虹鸽，坐着一辆马车前往辛加礼拉。我把母鸽留了下来，目的在于刺激彩虹鸽。

假如彩虹鸽康复了，自然会在第一时间回来找母鸽，毕竟母鸽是那个让彩虹鸽随时牵挂的对象啊！老刚德认为彩虹鸽一定会回来找母鸽，帮助母鸽孵化那些新生下来的蛋。其实那些蛋在我们出发前，就被我父母偷偷处理掉了。因为我们不想让体弱多病的小鸽子出世，那会辱没彩虹鸽的一世威名。

我把彩虹鸽放在肩上，整个白天它都在上面休息。晚上为了安全着想，我把它锁在笼子里。每天长达十二小时的日光浴和新鲜空气的补给，让彩虹鸽迅速增强了体质。可它还是懒洋洋地蹲在我肩膀上不动，没有一点儿回去帮自己的配偶孵蛋的意思。春天的喜马拉雅山风景独特。大地被雪白的紫罗兰照亮了，成熟的覆盆子点缀其中。潮湿的峡谷中，各种蕨类植物丛生，好像正伸出它们长长的手臂拥抱洁白的群山，而群山是镶嵌在湛蓝天空中的奇珍异宝。

浓密的森林里，到处都是低矮的橡树，高大的榆树、雪松和栗树，繁茂的枝叶遮天蔽日。它们相互依偎着，树枝层层叠叠，根连着根，彼此争夺着阳光和生存的机会。成群的野鹿躲在阴暗的树荫底下，在茂盛的草丛中啃食着野草和树上的嫩枝，它们中的一些注定会成为豺狼虎豹的腹中之物。这个地方到处都生机盎然，不论是鸟兽、昆虫，还是植物，都在为了生存暗暗地展开激烈的斗争，这就是自然界中充满矛盾的生存法则。我们钻出漆黑的森林，就进入了一个开阔地带。热辣辣的阳光猛地射进我们的眼睛，就像刀子一样。无数蜻蜓在空中飞舞，翅膀颤动着，散发出闪闪金光。麻雀、知更鸟、松鸡、鹦鹉和孔雀等，有的在树丛中，有的在山峦间婉转鸣唱，互相追逐嬉戏。

我们所在的开阔地带，左边是茶园，右边是松树林。沿着一道斜坡往上走，路面十分笔直。空气很稀薄，让人呼吸困难。在这样空寂的山林里，声音可以传得很远，即使是小声说话，几米之外也能清晰地听见。除了有规律的马蹄声，所有的人和动物都默默走着，对山野的寂静十分地恭敬，不忍心破坏这种安静。

湛蓝的天空依然万里无云，偶尔有北飞的鹤群发出扇动翅膀的呼呼声，或者是老鹰倾斜身子俯冲时带出的低沉的风声。周围的一切都是那么冷峻，却又充满了灵气，散发着旺盛的生机。

我们离辛加礼拉已不远了。山坡上的寺庙露出了屋顶，好像在召唤我们。尖翅膀一样的房顶和历史久远的墙壁，好像天边飘着的旗帜。我忍不住加快了脚步，只用了一个小时就爬上了庙宇门前陡峭的小路。来到这群远离世俗和争斗的僧人身边，让人顿觉神清气爽，心情放松。

正是中午时分，我和老刚德穿过一片由香脂树组成的森林，前往谷底的温泉边沐浴。就连彩虹鸽，我们也把它洗得干干净净。把彩虹鸽喂饱后，我和老刚德就往斋房走去，僧人们早就在那里等候了。斋房的柱廊看上去是用黑檀木做成的，柱子上面雕着金色的龙。柚木房梁因为岁月久远，颜色已发黑，房梁上的雕饰清晰可见，硕大的莲花深深印刻在木梁之中，形态纤弱柔和，坚固程度却像金属。地板由红砂石铺成，所有僧人穿着橘红色的袍子在上面静坐祈祷，这是他们吃饭前例行的祷告仪式。我和老刚德在门口等着，最后祷告以齐声吟诵而结束。

我走上前，向住持行礼。严肃的住持脸上露出微笑，并为我虔诚祷告。向其他的僧人行完礼后，我和老刚德围着饭桌坐下了。

吃完饭后，住持邀请我们和他一同前行。我们和他一起爬上最高的崖壁，那里有一个像鹰巢一样的洞穴，顶端长着一丛冷杉树。洞里没有家具，整个洞穴显得很空。等我们坐好，这位老住持说道："每天，我们都在寺庙里面向着慈悲的、不朽的神灵祈祷两次，祈求他拯救地球上的众生，可是战争依然在持续，就连鸟兽都被传染上了恐惧和憎恨。精神上的疾病比肉体上的疾病蔓延得更迅速。人类不久就会被恐惧、憎恨、猜忌和阴谋所吞没。想要完全摆脱这些罪孽，至少要等到下一代了。"

说完这些话，无比伤感的老住持紧紧皱起眉头，嘴角疲惫地耷拉下来。

尽管远离战争的喧闹，但是与那些发起战争的人相比，他能更深切地体会到人类所犯下的罪孽。

不过老住持很快转悲为喜，他话题一转，说道："让我们来谈一谈彩虹鸽和老刚德吧。如果你希望你的鸽子重新飞上天空，你必须静坐深思，为它争取无限的勇气，就像老刚德这段时间一直坚持做的一样。”

“我怎么做才能办得到呢，大师?”我急迫地问。住持的脸红了，显然我的问题太过直接了，使他感到很为难。我为自己的莽撞感到羞愧，直接和急迫都是品格低下的表现。

老住持好像看穿了我的心思，急忙安慰我说：“每个黎明和黄昏，把彩虹鸽放在你的肩上，默念：‘众生都蕴含无限勇气，每个生命的每一次呼吸当中，都潜藏着无限勇气，请把我的勇气源源不断地注入那些我触碰过的生灵。’如果你能坚持这样做，终有一天，你的内心、你的精神和你的灵魂都会被清扫得无比纯净。到了那一刻，你的灵魂中将不会再有恐惧、怨恨、猜疑和忌妒，你的力量会传递到鸽子身上，让它获得解脱。凡是那些能使自己的心灵变得无比纯净的人，都能给世界注入无穷的精神力量。照我说的去做，每天两次，我们全体僧人都会帮助你的，一定会有奇迹发生的!”

老住持停顿一会儿，接着说道：“最了解动物的人应是老刚德，他曾跟你说过，正是我们自身的恐惧会使动物对我们进行攻击。现在你的鸽子内心非常惊恐，它认为天空中处处暗藏危机，就连树叶的颤动也会令它惊恐不安，一缕投下来的阴影也会吓破它的胆。因此，彩虹鸽所有的烦恼都来源于它自己。”

“此时，我们下面的那座村庄，你在这里就看得到的西北边，村民们也正遭受着和彩虹鸽一样的痛苦。现在正是动物向北迁徙的季节，所有村民都惊恐不已，他们拿起老式火枪准备四处猎杀野兽。你看，动物们也奋起反抗了，尽管它们以前从没这样做过。野牛吃光了他们的粮食，猎豹叼走了他们的山羊，听说昨晚还有头野牛杀死了一个村民。尽管我反复告诉他们，要祈祷和静坐，消除内心的恐惧，可他们就是不听！”

“哦，我的精神导师，您为什么不派我下山去除掉那些野兽呢？”老刚德问道。

“现在还不行。”老住持回答，“你清醒的时候，已不再有恐惧，可是这个恶魔依旧在梦中缠绕着你，让我们再祈祷和静坐数日，到时候你的灵魂会完全滤除这些渣滓。等你完全康复后，如果野兽仍然在危害村民，那时你就可以下山去帮助他们了。”

第八章
鸽里夺尊

遵照住持要求的方式，我静心虔诚地打坐了十天。十天之后，他召唤我和彩虹鸽过去。我把彩虹鸽放在胳膊上面，爬上了他住的洞穴。住持的脸平时是蜡黄色的，可是今天焕发着古铜色的光芒，一双杏眼炯炯有神，镇定而有魄力。他把彩虹鸽放在自己手里，念道：

愿北风治愈你的伤，
愿南风治愈你的痛，
愿东风和西风愈合你的伤口。
让恐惧远离你，
让怨恨远离你，

让猜疑忌惮不再困扰你。
愿勇气像激流净化你的心，
让平静充盈你的身体，
让宁静和力量成为你的双翼。
你的眼睛将闪耀勇敢的光芒，
力量和勇气永驻你心！
你的伤口已愈合！
你的疼痛已停止！
你已恢复健康！
平静、平静、平静……

我们静坐深思，反复默念这段话，一直到太阳落山，晚霞映红了喜马拉雅群峰，把我们周围的山谷、沟壑和树林罩上紫色的余晖。

彩虹鸽慢慢地从住持手中跳下，走出山洞门口，凝视着落日。它张开左边的翅膀，停顿片刻之后，又十分小心地缓缓张开右边的翅膀，一根一根地展开羽毛，一点儿一点儿地绷紧肌肉，之后，它的右翅终于像帆一样鼓了起来。可是它并没有立即起飞，也没做什么让我们吃惊的举动，而是又小心地收起了翅膀。

当然，彩虹鸽非常熟悉向落日致敬的方式，走下台阶，从我们的视线中消失了。突然，我好像听到了翅膀扑棱的声音。我迅速起身，想到外面去看看情况，可是住持按下我的肩膀，让我不要随便行动。我看他的嘴角流露出一丝神秘的微笑。第二天早晨，我把这件事情告诉老刚德，他讥讽地说：“你说彩虹鸽张开双翅是为了向落日致敬？那有什么好惊讶的。动物们都很虔诚，而人类连这个都不懂。我就曾见过猴子、老鹰、鸽子、猎豹，就连獴都向朝阳和落日表示敬意。”

“你能带我去看看吗？”

“可以，但不是现在，彩虹鸽还没吃早餐，先让我们去喂饱它再说！”老刚德回答。

我们来到鸽笼前，却发现鸽笼的门开着——彩虹鸽不见了。我一点儿也不惊讶，因为昨晚我就没给鸽笼上锁，来到寺庙后，我一直都是这么做的。可是它到哪儿去了？我们在主殿没找到它，就往藏经阁的方向走去。

在外面一处废弃的洞室里，我们发现了一些鸽子羽毛，老刚德还在附近发现了黄鼠狼的脚印。我们二人心头一紧，如果彩虹鸽已被黄鼠狼咬死，那地面上应该有血迹才是。那么，彩虹鸽有没有逃脱？它怎么了？它在哪儿？

我们在附近徘徊了一个小时，就在差点儿想放弃搜索的时候，附近传出了彩虹鸽的咕咕声。它就蹲在藏经阁的房顶上，正和它的老朋友燕子聊天，燕子们的巢筑在屋檐底下。鸽子咕咕地叫，燕子叽叽地回应。

我高兴地向彩虹鸽喊了起来：这是我平时召唤它吃食的信号。彩虹鸽弯下脖子，专注地倾听着。当我又喊了一遍后，它看见我了，拍打着翅膀从房顶上飞下来停在我的手腕上，它双脚很凉。

当清晨第一抹光亮照耀大地时，寺庙众僧前往正殿进行早祷，彩虹鸽一定是听到了他们的脚步声，就从笼子里跑了出来，可是又不小心迷了路，来到了藏经阁外面废弃的房子里，遭到了一只傻乎乎的小黄鼠狼的攻击。老练的彩虹鸽用几根羽毛就骗过了小黄鼠狼。正当那个满心欢喜的小家伙冲进去想抓住彩虹鸽的时候，却只扑到了几根羽毛，而它的猎物已冲向了蓝天。彩虹鸽在空中巧遇自己的老朋友燕子，燕子正在向初升的太阳行礼致敬，之后它们一起降落在藏经阁的屋顶，亲热地聊起天来。

就在那天，一个可怕的消息传到了寺庙里：两位长者从村中的公共打谷场开会回来，正往家赶时，被一头野牛袭击了，两人都没被救活。村民们派出代表来找住持，请求他为他们祈祷，驱走这残忍的恶魔。老住持听完后，承诺一定会在二十四小时之内，通过各种方式清除这头孽畜。

老住持对他们说："安心回去吧，慈悲的神灵会庇佑你们，你们的祈祷终会应验。夜幕降临后不要再出门，待在家中静心打坐，勇气会来到你们身边。"

在场的老刚德问道：“这个孽畜骚扰你们有多长时间了？”村民代表们异口同声地回答说已有一个星期,每天晚上这头野牛都来糟蹋粮食，地里差不多一半的粮食都被它吃光了。他们再次恳求住持使用最有力的驱魔咒语清除这头孽畜，这才安心下山去了。

村民们一离开，住持就对站在一旁的老刚德说：“从没有失败过的猎人，现在你已痊愈，请下山去清除这个凶手吧！”

老刚德犹豫地回答道：“可是……大师，我……”

“别怕，静坐已治好了你的伤痛，现在你可以到树林里验证一下它的功效了。从孤独中获取的力量和平静，必须到喧嚣中进行验证。明天太阳落山以前，你一定会得胜而归，我一点儿也不会怀疑。我希望你能把这个男孩和这只鸽子一起带上。我如果对你还有什么怀疑的话，就不会让一个只有十六岁的孩子陪你一起去了。去吧，正义一定能帮你清除这头孽畜！”

那天下午我们一道出发前往丛林。对于能再次到丛林中过夜，我非常高兴。能和老刚德、彩虹鸽重新聚在一起，共同搜寻野牛，我想想都高兴。世界上还有哪个男孩有这么幸运呢？

我把彩虹鸽放在肩上，和老刚德一起带上绳梯、套索和刀，全副武装地出发了。那个时期，英国政府禁止印度普通市民使用枪炮，所以我们没有携带猎枪。

大约下午三点，我们来到了位于寺庙西北边的村庄里。我们沿着野牛出没的踪迹，穿过茂密的树林和开阔的空地，时常要蹚过小溪，翻越倒下的大树。野牛的脚印清晰可见，深深地印在泥土里。

老刚德评论道："这头野牛的步伐沉重，说明它一定受到了惊吓。通常情况下，动物们不会留下太多脚印，可是如果惊慌起来的话，它们就会乱了阵势，那种担心被敌人杀死的恐惧会让它们的脚步无形中沉重起来。这家伙留下的脚印都是很深的，这充分说明它已被吓破了胆。"

最后，我们被一条湍急的河流挡住了去路。水流很急，就连乱了阵势的野牛，也没敢过河。我们沿着河岸寻找野牛更多的足迹。二十分钟后，我们发现它的脚印渐渐偏离了河岸，消失在幽深黑暗的密林中。尽管当时只是下午五点，这片密林却早已漆黑得像深井。对于任何年龄的野牛来说，从这里跑到村子里最多需要半个小时。

老刚德问道："你听到水的歌唱了吗？"我认真地听了几分钟流水拍打河岸、冲刷河边水草的声音。听，那流水声像人的呻吟声。最后，小河汇入了离我们六七米远的一个湖泊。老刚德大声说："那头野牛一定就藏在从这里到湖边的某个地方，说不定在哪里打盹儿呢。我们去那边的孪生树上休息，天要黑了，我保证野牛很快就会来这里的。我们千万不要站在树下，要是被它发现就完了。这两棵树之间的狭窄空间，野牛是不可能进来的！”

老刚德说的最后一句话勾起了我的好奇心，我就过去测了一下两棵孪生树间的空隙。两棵树很高大，中间的间隔狭窄，只能容下我和老刚德并肩走过。

“现在我得脱下这件沾满恐惧的外衣，放在这两棵树之间。”接着，老刚德脱下之前一直穿着的旧衣服，放在地上，然后爬上了树。他爬上去后，把绳梯扔了下来。我沿着绳梯往上爬时，彩虹鸽在我肩上扑扇着翅膀来保持平衡。我们都安全到达了老刚德所在的那根树枝上，夜晚很近了，我们安静地坐在树枝上，观察着四周的动静。

我们所在的树枝已非常高，可谁知道上面是不是还藏着猎豹或蟒蛇呢？所以我们向更高处爬去。经过近距离的观察，我们选好了两根树枝，把绳梯像吊床一样挂在它们中间。刚安顿好，老刚德向我指了指天空。我抬头看去，只见一只有红宝石颜色翅膀的老鹰正在上空盘旋。尽管丛林中已很黑了，可我们上空的霞光依然灿烂。这只孤零零的老鹰一圈又一圈地在火红的天空中盘旋。按老刚德的说法，这是老鹰在向落日致敬行礼。它的出现让森林里的鸟儿和昆虫顿时安静下来，尽管它离得还远得很，鸟儿和昆虫却早已吓得闭口无声，默默地朝拜着这只天空之王。而老鹰依旧在空中飞来飞去，专注地膜拜着光明之神。渐渐地，它翅膀上的颜色褪去，开始向高处飞去，好像要把自己作为贡品献给心中的神。它继续向着晚霞映照的山峰飞去，消失在灿烂的霞光之中。而在山下，野牛的吼叫声顷刻间把寂静的夜幕撕成了碎片。虫鸣声再次响起，猫头鹰也在附近呜呜地叫了起来，躲在我怀里的彩虹鸽靠得我更紧了。突然，一只喜马拉雅夜莺（长相很像夜莺的夜行鸟类）唱起歌来，曲调婉转，像神仙在吹奏银笛。

这时，老刚德又拿出一根绳子把我绑好，防止我从树枝上摔下去。我把头靠在他的肩膀上，这样睡得会更舒服。这时老刚德却跟我说起了狩猎计划：“我丢在下面的衣服，是我以前内心充满恐惧时穿过的，上面被染上了恐惧的气味。那头蠢牛如果闻到这种气味，一定会被吸引过来。受惊吓的动物对这种气味很敏感。如果它过来侦察这些衣服，我们就可以行动了。我希望能用套索套住它，让它像头听话的小牛一样被我们牵回家……”之后，我就沉入了梦乡。

不知道睡了多久，突然，我被一阵恐怖的吼叫声惊醒了。我睁开眼睛，发现老刚德已醒，他帮我松开绑在身上的绳子，指了指树下。此时正是黎明时分，天色还暗暗的，我一开始什么也没看见，只是清晰地听见愤怒的野兽所发出的呻吟声和咕噜声。

在热带地区，天亮得很快。我睁大双眼向树下望去，随着光线渐强，我看见树下出现了一头小山似的野兽，身子黝黑发亮，正在树干上蹭来蹭去。尽管大半个身子都隐藏在浓密的枝叶中，但据我目测，这头野牛少说也有三米长。我心中暗想：这头生活在大自然中的野牛看上去这么健壮，完全不像动物园中的野牛那样皮毛暗淡无光，满身疥癣。如果只见过关在笼中的野牛，谁能想到野牛本来有多美？

不过，还是让我把眼光转回到树下这头凶残的野牛身上吧。彩虹鸽已被我放飞，它在空中飞来飞去。

我和老刚德沿着绳梯一样的树枝，一点儿一点儿往下爬，不断逼近树下的野牛，离它只有半米了。野牛毫无觉察，老刚德迅速把套索的一端拴在树干上。野牛还在树下独自玩耍，它不时用角挑起老刚德扔在那里的破烂袍子。老刚德的预测准确无误，正是人类的气息把野牛吸引过来的。它的角是干净的，可是它的头上还残留着新鲜的血迹。很显然，这个坏家伙昨晚又去村子里走了一遭，又杀害了另一条可怜的生命。这可激怒了老刚德，他对我悄悄地说："我们来活捉这个可恶的家伙！你从上面把套索甩下去，套在牛角上面。"转眼之间，老刚德已滑下树枝，来到野牛身后。

野牛被吓了一跳，可是它无法转身，因为它已被两棵树紧紧夹在中间。它的右边是我刚才提到的孪生树中的一棵，而左边是我坐着的另一棵树。它必须前进或者后退才能逃脱夹缝，可是在那之前，我已用套索套住了它的脑袋。绳子刚一碰到野牛，它就触电似的猛地后退，想要从套索中挣脱出来。老刚德迅速地绕到了另一棵树后，幸亏他反应敏捷，不然就被野牛尖利的蹄子给踩死了。我被吓坏了，心神还没稳，又发现我的套索只套住了一只牛角。我颤抖着向老刚德尖声大喊："当心啊，只套住了一只角，绳索随时都有可能滑落，快上树！"

老刚德可是真正勇猛的猎手啊，他对我的尖叫没有理睬，反而站到了敌人面前——距离野牛只有一步的距离。只见野牛低下头，向着老刚德冲了过去。我惊恐万分地闭上了双眼……

再次睁开眼睛时，我看见野牛正在拼命挣脱牛角上缠着的绳索，因为被缠住，它无法撞到身后的大树，而老刚德就躲在那棵树后面。野牛发出鬼怪似的吼叫，丛林里顿时陷入慌乱，动物们被久久回荡的叫声吓得四处逃窜。

趁着野牛无法得逞，老刚德掏出了锋利的匕首——这匕首大约有四十五厘米长、五厘米宽。他偷偷地溜到右边的树后面，转眼就不见了。野牛再次向着老刚德原先站立的地方冲去，幸运的是，套索仍然紧紧地绑在它的角上。

老刚德决定改变战术，他向相反的方向跑去，沿着"之"字形的路线在树与树之间窜来窜去。

他这么做是为了找到一个下风向的位置，避免身上的气味被野牛发现。尽管野牛短时间内被迷惑住了，可它还是掉转方向，对老刚德紧追不放。这回，它又看到了老刚德放在两棵树中间的衣服。野牛开始发狂了，它嗅了嗅地上的衣服，然后用角又戳又挑。此时，老刚德已绕到下风向处。虽然看不见他，不过我想，即使树丛挡住了他的视线，老刚德也一定能根据野牛的气味判断出它的方位。野牛再次把老刚德的衣服挑起，咆哮起来，整个树林再次陷入慌乱中。一群猴子不知道从哪里钻了出来，在树枝上跳来荡去。松鼠尖叫着从树上跳到地面上，然后又从地上蹿了回去。成群的鸟儿四处乱窜，齐声尖叫。

突然，野牛再次发起猛烈进攻，老刚德十分镇定地站在野牛对面。野牛的后腿颤动着，它箭似的向老刚德扫了过去。啊——野牛站了起来，但前腿离地站立了几分钟后，就重重地摔在地上。它一定是被套索拉住了，因为套索的另一端是紧紧绑在大树上的。那一瞬间，它的角被撞断，飞到了空中。由于巨大的惯性，野牛斜着身子摔倒在地，摔了个四脚朝天，四只脚在空中慌乱地蹬着。

老刚德闪电似的向野牛跳去。一看到老刚德，野牛立即翻身，屁股着地，鼻子喘着粗气。它差点儿就站起来了，可是老刚德用匕首向野牛的肩部一捅，这一刀是致命的，老刚德用尽全身力气把匕首往里捅。野牛发出狂吼，整个丛林都震颤了。鲜血从它身上喷射出来，我不能忍受这样残忍的场面，于是再次闭上了眼睛……

几分钟后，我从栖身的树枝上滑下来，见野牛已倒在血泊中，因为失血过多，死了。老刚德坐在它身边，正在擦身上的血迹。我知道他这时一定需要独自待一会儿。

于是我又回到原来的树上，召唤彩虹鸽。可是彩虹鸽没有回答我，我一直爬到树顶去找，但彩虹鸽也不在那里。

等我下来的时候，老刚德已把身上的血迹擦净了，他向天空指了指——大自然的清洁工们来了，低飞的是鸢，高飞的是秃鹫，它们已闻到了死亡的气息，它们的任务就是把丛林清扫干净。

老刚德说："我们一定能在庙里找到彩虹鸽，它一定是和别的鸟儿一起飞走了。我们离开这里吧！"回家之前，我上前量了量野牛的尺寸，这时苍蝇已从四面八方嗡嗡地飞来落在尸体上。野牛体长三点二米，它的前腿超过一米长。

回寺庙的路上，我们行走得非常艰难，一路默默无语。中午我们到了被野牛袭击过的村庄，告诉村民们野牛已经死了。听到这个消息，村民们终于长出了一口气。

因为饥饿难忍，我们加快了脚步，很快就回到了寺庙。我马上开始搜寻彩虹鸽的下落，可它不在庙里，这可不妙！但住持告诉我："彩虹鸽是安全的，和你一样。"停了一会儿，他问老刚德："是什么扰乱了你的心神?"

老猎手想了一下，回答："没什么，大师，请您一定记住，我本意不想杀生，我也想活捉那头野牛，可是，天哪，我不得不杀了它。当它的角折断后，在我和它之间没有任何遮挡的东西，我只有给它致命的一刀。很抱歉，我没能把它活捉，我本打算把它卖给动物园呢！"

"哦，你真是个老财迷！"我大喊了起来，"野牛死了，我一点儿也不遗憾，死了比被关在动物园中度过余生要好得多，死个痛快比生不如死要好！"

老刚德反驳我说："要是你能同时套住它的两只角，野牛就能被活捉了！"

住持突然说："不要再谈论死去的生灵了，还是多关注下活着的彩虹鸽吧！"

老刚德说："就是，我们明天就去找彩虹鸽。"

可住持说："不用，明天就回丹忒牡去吧，孩子，你的家人很担心你，他们的心情我能感应得到！"

第二天我们离开了寺庙，骑着两匹矮种马前往丹忒牡，三天后就到了。路上碰到我家的仆人，告诉我彩虹鸽三天前就飞回家了。可是因为我们没有一起回来，我的父母很担心，已派出几队人马沿途搜寻，想确认我们的安全。

我们一路奔跑着回家，十分钟后，我就扑进妈妈温暖的臂弯，而彩虹鸽也飞到我的头上，拍打着翅膀来保持平衡。我已无法用言语描述我的喜悦之情，我的彩虹鸽又能飞了！它从寺庙一直飞回了丹甙牡，中途从没放弃也没有失败！“啊，你是飞翔的精灵，你是鸽中之王！”我在心中赞美着彩虹鸽。

辛加礼拉的朝圣之行到这里就结束了。这次旅行完全治愈了战争给彩虹鸽和老刚德带来的恐惧症，我们此行没有白费，把这两条生命从致命的创伤中解脱出来了。

故事该收尾了，最后我想要说的是：“我们的所思所感会影响我们的言行，如果一个人心存恐惧，心存怨恨，那么这两种情绪早晚都会转化成实际行动。因此，我的朋友们，希望你们带着勇气去生活，带着勇气去呼吸，并且给予别人勇气。随时想到的是爱，随时感觉到的是爱，那么你的身心自然会流露出平静和力量，就像花朵会自然吐露芬芳一样。愿万物众生都拥有一颗平静的心！”